DIÁRIO DE NOTÍCIAS:

O ROMANCE DE UM JORNAL

CELITO DE GRANDI

DIÁRIO DE NOTÍCIAS:

O ROMANCE DE UM JORNAL

L&PM EDITORES

Capa: Marco Cena
Revisão: Jó Saldanha, Renato Deitos e Clóvis Victoria
Projeto gráfico: Ivan Pinheiro Machado

Procurou-se, de todas as formas, determinar a autoria das fotos utilizadas neste livro, especialmente aquelas do acervo da família e de amigos de Ernesto Corrêa. O autor creditará, com satisfação, esses profissionais, caso se manifestem. As reproduções de jornais são de autoria de Marco Peres e Paulo Dias.

ISBN: 85.254.1487-5

D 321d De Grandi, Celito, 1942-
Diário de Notícias: o romance de um jornal / Celito De Grandi.
-- Porto Alegre : L&PM, 2005.
224 p. ; 21 cm.

1.Diário de Notícias-História. 2.Jornalismo-Rio Grande do Sul-História. I.Título.

070.433(81)(09)

Catalogação elaborada por Izabel A. Merlo, CRB 10/329.

PORTO ALEGRE: Rua Comendador Coruja 314, loja 9 - 90220-180
Floresta - RS / Fone: 51.3225.5777
PEDIDOS & DEPTO. COMERCIAL: vendas@lpm.com.br
FALE CONOSCO: info@lpm.com.br
www.lpm.com.br

IMPRESSO NO BRASIL
INVERNO DE 2005

Reunião de pauta

Este livro tem uma gênese que não se limita à idéia brilhante da pena também brilhante de seu autor.

A obra vem sendo gerada há muito tempo por mim e por meus irmãos, como forma de eternizar uma das maiores páginas da comunicação social gaúcha – e nem por isso tão cantada em prosa e verso – que foi a saga do *Diário de Notícias*, jornal que se ombreou ao poderoso *Correio do Povo* por várias décadas e que teve como seu grande líder e impulsionador o meu pai, Ernesto Corrêa.

Mais recentemente, meu terapeuta e amigo, dr. Paulo Sérgio Guedes, estimulou-me a dar perenidade à história do *Diário* e às lições profissionais e de vida de Ernesto, o velho major.

Meu pai era um poço de cultura e de sensibilidade social e política, mas também muito humilde e recatado. Além de aulas magníficas na Faculdade de Comunicação da UFRGS, de alguns artigos exponenciais e de reportagens memoráveis que a outros dava a honra da assinatura, muito pouco nos deixou como legado formal.

Daí que, com o apoio dos meus irmãos, resolvi assumir a produção desta obra sobre o *Diário de Notícias* que, quer queiramos ou não, se funde com a figura singular de Ernesto Corrêa, como o pessoal competente e criativo da L&PM expõe na capa do livro.

Aí volto ao início: Quem poderia escrever este livro? Quem estaria disposto a dedicar mais de um ano de sua vida para pesquisar, ordenar e escrever este romance? Eu e meus irmãos, sem titubear, elegemos o Celito De Grandi para ser o transformador de nosso sonho em realidade. Jornalista, com cerca de vinte anos de convivência com o *Diário* e com o nosso pai, Celito aceitou o desafio e está nos deliciando com uma obra à altura de sua festejada e vitoriosa biografia sobre Loureiro da Silva.

Eis o resultado do trabalho que a Lia, o Paloca, a Helena (em memória), o Faveco, eu e nossos companheiros e companheiras, filhos, netos e bisnetos de Ernesto Corrêa, estamos oferecendo, emocionados e orgulhosos, à leitura da sociedade gaúcha.

Fernando Ernesto Corrêa

Diário de Notícias

O romance de um jornal
1925-1979

"No iban a pasar muchos años sin que lo comprobara en carne propia, hasta llegar a creer como creo hoy más que nunca que novela y reportaje son hijos de una misma madre."

Gabriel García Márquez, em *Vivir para contarla*

Sumário

Palavra de Ombudsman

Com agilidade e inteligência, Celito De Grandi nos oferece a história de um jornalista de exceção – Ernesto Corrêa – e de um jornal que glosou a vida rio-grandense e brasileira por mais de cinqüenta anos. Um e outro estiveram intimamente ligados, pois Ernesto dirigiu o *Diário de Notícias* ao longo de trinta anos, assinalando-se pela probidade e pela competência profissional.

Um jornal como o *Diário*, que, de 1925 a 1979, viveu com intensidade tanto os gloriosos como os atormentados momentos da vida rio-grandense, não pode ser visto apenas como uma empresa econômica e um trivial veículo de comunicação. Ele tem de ser encarado, assim como delineou o autor deste livro, como um fato de cultura regional, um gerador de acontecimentos, um incubador de talentos individuais e promotor de inovações no âmbito da comunicação gráfica. Catalisador do movimento literário modernista no Rio Grande do Sul, porta-voz e porta-bandeira da Revolução de 1930, instrumento da resistência à ditadura Vargas no final do Estado Novo, e sempre vanguardeiro de inovações jornalísticas, o *Diário de Notícias* não deixou de ser vítima, mais de uma vez, da ira desvairada das massas dominadas pela paixão política. Essa, aliás, é a sina dos que assumem posições sem disfarces, dos que se engajam em controvérsias explícitas. Aos dias de glória podem sobrevir a execração e até o martírio.

O acaso me fez testemunha ocular de dois acontecimentos lamentáveis relacionados com o *Diário*. Em 7 de maio de 1945, dia da vitória aliada sobre o nazi-fascismo, presenciei quando um grupo delirante de manifestantes, em que predominavam "queremistas" que desejavam o continuísmo de Getúlio Vargas, ensaiaram ataque e depredação do prédio do jornal. O pretexto então invocado, segundo me lembro, é que a edição especial comemorativa da vitória estampara a imagem dos grandes líderes vencedores do conflito mundial, mas não incluíra entre eles o ditador Vargas. E também, nove anos mais tarde, em 24 de agosto de 1954, quando maltas de desordeiros, a título de protesto pela morte trágica de Getúlio, depredaram, saquearam e incendiaram a redação e Oficinas do *Diário*, encontrava-me eu nas proximidades, trabalhando num escritório do Edifício Chaves, donde me retirei às pressas, atemorizado pelo incêndio.

Depois daquele criminoso episódio de 1954, o *Diário* não voltou mais a ser o que era, apesar dos esforços de seu corpo administrativo e redatorial, em cujo seio operava Celito De Grandi com sua proverbial eficiência.

Partícipe e testemunha de uma trajetória de vitórias e dificuldades, o autor acrescenta e enriquece a crônica histórica da imprensa gaúcha, narrando-nos a saga de um combativo órgão de imprensa, bem como os sucessos pessoais e profissionais de seu principal comandante – Ernesto Corrêa. A historiografia do Rio Grande do Sul vê-se valorizada por este texto, ao mesmo tempo objetivo, leve e descontraído.

Sérgio da Costa Franco

Primeira página

Este livro é uma reportagem sobre o percurso de mais de cinqüenta anos do jornal *Diário de Notícias*, de Porto Alegre, Rio Grande do Sul. E também conta a vida do seu diretor, o jornalista Ernesto Corrêa. As histórias, entrelaçadas, são essenciais para compor a fisionomia da imprensa gaúcha no século 20.

No *Diário de Notícias*, comecei minha vida jornalística. Naqueles primeiros dias da década de 60, ainda era o tempo de um jornalismo romântico, em certos casos quem sabe pouco profissional, mas feito sempre com talento e coração.

Recordo bem.

No terceiro andar do prédio da avenida São Pedro, quase esquina com a Farrapos, na zona norte da cidade, a redação do *Diário* vivia o burburinho de todos os fins de tarde. Era a primeira vez que eu contemplava a figura distante do major* Ernesto Corrêa, preocupado em revisar e baixar textos. Nélson Dimas Filho, o redator-chefe, estava acamado naquele dia.

Ernesto toca a campainha de mesa, sinal urgente para o contínuo: havia fotos e textos para serem colocados no "elevador", puxado por cordas até o andar térreo. Lá se localizavam as oficinas, comandadas, com eficiência, desde a fundação, pelo velho Ezequiel.

Agenor era um preto alto, magro, vinte anos, o sorriso largo a mostrar os dentes brancos. Andar malandro, conversa afável. Além de contínuo, cabia-lhe, entre outras, a tarefa de ir diariamente ao centro da cidade, buscar o malote da Agência Meridional**, os anúncios do De-

* Apelido que lhe foi dado, segundo o filho Paulo Corrêa, pelo advogado Jamil Aiquel, por sua semelhança com um militar do CPOR.

** A primeira agência de notícias do Brasil, fundada em 1931 por Assis Chateaubriand, com sede no Rio de Janeiro, e destinada a suprir, com fotos e reportagens, os veículos dos Diários e Emissoras Associados. À época, só existiam cinco empresas similares no mundo: Associated Press, United Press, Havas, Reuters e Wolff.

partamento de Publicidade e os jornais do Rio e de São Paulo. Uma viagem sempre demorada, por culpa dos publicitários, ou do malote com atraso, ou do nevoeiro, desculpas todas conhecidas. Soube-se mais tarde: ele e o motorista Lima faziam escalas pelos botecos. Em troca de exemplares da edição do dia, "martelinhos".

Dr. Ernesto toca a campainha outra vez e pergunta, impaciente:

– Onde está o Agenor?

Ao chegar, uma desculpa a mais:

– O jipe... dr. Ernesto... está com problemas.

O velho jipe era bem conhecido do diretor. Com ele, nos finais de semana, em companhia dos amigos, viajava até lugares distantes, para caçar marrecões e perdizes.

As máquinas de escrever silenciam. O major ergue-se da cadeira:

– Problemas?... O jipe?

Olha com firmeza o negro alto à sua frente:

– Está suspenso. Três dias.

As máquinas retomam aos poucos seu ritmo. Não demora, a campainha volta a ser acionada, então com mais vigor e repetidas vezes:

– Onde está o Agenor?

O artista plástico Nélson Boeira Fäedrich, à época também diagramador, trata de intervir:

– Mas... dr. Ernesto, o senhor acabou de suspendê-lo! O outro contínuo só chega mais tarde.

– Onde está o Agenor?

Despreocupado, ele tomava café no bar localizado próximo ao setor de fotografia, no andar abaixo. Sobe rápido as escadas:

– Pronto, dr. Ernesto!

– Não está vendo o material para as oficinas?

– Mas... o senhor.... o senhor me suspendeu...

– Suspensão? Está suspensa a suspensão.

Dr. Ernesto – assim o tratávamos – chegava à redação por volta das três da tarde. Magro, porte elegante. Silencioso, rígido, muitas vezes impaciente, estendia com o olhar um cumprimento à redação inteira e se dirigia ao gabinete. Ali tratava de redigir o editorial, antes da chegada de amigos, políticos, intelectuais, empresários. Vinham trazer uma colaboração, fazer pedidos, conversar.

Naquela sala nasceram idéias de grandes reportagens e "furos" que marcaram a história da imprensa brasileira. Também ali surgiram campanhas e movimentos memoráveis em favor da cultura e da gente do Rio Grande: da Feira do Livro ao Hino do Grêmio. Nela o Major comemorou tiragens capazes de surpreender o grande rival, o *Correio do Povo*.

Mas aquele diretor e aquele jornal não viveram apenas dias alegres e momentos fantásticos.

Durante os 43 anos em que esteve no comando do *Diário de Notícias*, Ernesto divergiu mais de uma vez de seu amigo e chefe, o dono dos Diários Associados, Assis Chateaubriand; esteve preso durante a Revolução Constitucionalista; assistiu, em lágrimas, à turba atear fogo ao prédio do jornal; sofreu a mordaça da censura e, em seu gabinete, sentiu os primeiros desconfortos e dores de pelo menos três doenças torturantes.

No decurso de mais de meio século – de 1925 a 1979 –, o *Diário de Notícias* rivalizou e disputou a liderança do mercado com o *Correio do Povo*, superando crises financeiras, períodos sem circular e os humores de Chateaubriand. Mas não resistiu ao desaparecimento do comandante. Um ano e meio depois da morte de Ernesto Corrêa, interrompeu-se a circulação, dessa vez para sempre.

Reconhecido por todos como uma escola de jornalismo, no *Diário* se formaram destacados profissionais da imprensa do país. E por ele transitaram dezenas de homens e mulheres, com suas ambições e fracassos, alegrias e medos, amores e dramas pessoais.

Mais que uma reportagem. Um romance.

Os textos em *itálico* são cópias rigorosamente fiéis de edições do *Diário de Notícias* e dos demais jornais e publicações citados.

Caderno A

1925-1954

Tempos e modelos revolucionários

A imprensa gaúcha estava às vésperas de completar um século* e o *Correio do Povo* completava trinta anos quando o *Diário de Notícias* nasceu para fustigá-lo.

As edições de ambos, em 1º de março de 1925, um domingo, chegaram às bancas com dezesseis páginas, tamanho *standard*, oito colunas, o mesmo formato. Mas diferiam muito na apresentação gráfica e no conteúdo. Na manhã quente de uma cidade com escassos duzentos mil habitantes, o *Diário* surgiu com ares de modernidade e provocador. A primeira página do *Correio* priorizava pequenos anúncios, e o título da principal matéria era tímido em suas três colunas. Já o *Diário* apareceu com o editorial na capa e três manchetes em seis colunas, encimadas por uma cartola:

> *"Serviço telegráfico especial da United Press*
> *e dos nossos correspondentes particulares"*

Ocorreu uma tremenda explosão na ilha do Caju

A solidariedade da política paulista ao presidente da República

FALECEU O PRESIDENTE DA REPÚBLICA ALEMÃ

Para cada título, tipologia distinta, uma inovação em termos gráficos.

---

* Em 1° de junho de 1827, começou a circular o *Diário de Porto Alegre*, primeiro jornal publicado no Rio Grande do Sul, por iniciativa do presidente da Província, brigadeiro Salvador José Maciel. Destinava-se a publicar os atos oficiais do Estado e influenciar a opinião pública. A redação do jornal, a cargo do português Lourenço Júnior de Castro, funcionava no próprio Palácio do Governo.

RIO DE NOTICI

S. A. GRAPHICA PORTO ALEGRENSE

ANNO I — PORTO ALEGRE, DOMINGO, 1.º DE MARÇO DE 1925 — NUM 1

OTICIAS

Serviço telegraphico especial da United Press e dos nossos correspondentes

Occorreu uma tremenda explosão na ilh

A solidariedade da politica paulista ao presidente d

Falleceu o presidente da Republica

O momento nacional

Reaffirmou sua solidariedade ao presidente da Republica, o partido republicano paulista

Commentarios sobre a attitude da oppos'ção riograndense em relação a successão presidencial

BOLETIM

A MORTE DO

Primeiro número do Diário.

Dois dias antes, no final da noite, um homem de rosto amável e espírito determinado concluíra o editorial de capa. Filho de imigrantes oriundos de Viggiano, pequena cidade da região de Basilicata, no sul da Itália, Francisco de Leonardo Truda, aos 38 anos, era uma personalidade inquieta. Não teve dúvidas diante do desafio: deixou o sólido *Correio* para fundar e dirigir o novo jornal.

Enquanto caminha pela rua dos Andradas, já madrugada, lembra o seu percurso pessoal, desde a infância sem privilégios: ele e os irmãos Pascoal, Vicente e Savério formaram um conjunto musical, apresentavam-se na Confeitaria Central, no Largo dos Medeiros, e passavam o chapéu entre os fregueses. Graças ao talento de violinista, custeou os estudos, formou-se em Direito e Economia e dedicava-se à imprensa, um de seus fascínios.

Outra paixão eram as mulheres. Os comentários no Largo dos Medeiros diziam que, por culpa de uma delas, ele havia se refugiado em Montevidéu durante certo tempo. Verdade ou não, foi lá que o jornalista Caldas Júnior encontrou-o, tocando violino na orquestra de um restaurante à beira-mar, o *Plata Vieja*. Foi contratado em meio à música e com um brinde ao futuro. Truda desembarcou na redação do *Correio do Povo* no início de 1913, anunciado como um jornalista "já vantajosamente conhecido na imprensa rio-grandense".[1]

Pouco tempo depois, no entanto, Caldas Júnior morreu, de forma surpreendente e trágica. Havia, à época, um generalizado temor com a propagação da sífilis na cidade. E, para preveni-la, apregoava-se a necessidade de "purificar o sangue" com uma nova injeção – a 914. Tamanha foi a insistência de um profissional amigo, o dr. Bulcão, que o fundador do *Correio do Povo* acabou por concordar com a idéia, e o medicamento lhe foi aplicado. No dia seguinte, não tendo observado qualquer reação, o médico decidiu repetir a 914. Caldas Júnior sentiu na mesma hora os efeitos da *overdose*. Foi para a cama e agonizou durante vários dias. Morreu, conforme o próprio *Correio*, de "icterícia generalizada".[2]

A partir daí, Leonardo Truda foi obrigado a disputar com o carioca Emílio Kemp o comando da redação. Venceu. Mas quando José Alexandre Alcaraz chegou para ocupar o lugar de Kemp e os conflitos voltaram a acontecer, Truda optou pela criação de um novo jornal: o *Diário*.

Raul Pilla, seu parceiro no comando da redação, leu e aprovou, na manhã de sábado, o texto do editorial, assim como a capa da primeira edição. Anos mais tarde, já então diretor do *Estado do Rio Grande*, o político repetiria, orgulhoso, para os correligionários do Partido Libertador, entre eles o jurista Paulo Brossard de Souza Pinto: "O *Diário* é mais bem feito que o *Correio*".

O editorial lembra a velha praxe jornalística de dizer ao que veio e é cáustico:

> *"...E, no fazer essa obrigada exposição, o jornal novo se assemelha, freqüentes vezes, aos políticos velhos e matreiros, cujos programas, em busca de votos, abundam sempre de promessas sedutoras que raro ou nunca se cumprem".*

Rende-se à prática, no entanto. Pede aos leitores que "nem por isso" o acuse de incoerente e proclama:

> *"...Em duas palavras, aliás, se resume todo o nosso programa: seriedade na informação, honestidade na crítica.*
> *Fugiremos, deliberadamente, ao sensacionalismo com que, mais de uma vez, nestes últimos tempos, se tem confundido a noção de jornalismo moderno...".*

Na página 2 da primeira edição, outro minieditorial, este para saudar os colegas de imprensa do Estado e garantir liberdade de opinião aos colaboradores do jornal:

"...Dos conceitos emitidos, como conseqüência natural e lógica da liberdade que lhes deixamos, serão os autores exclusivos responsáveis...".

Entre os integrantes do "brilhante corpo de colaboradores" estão Adroaldo Mesquita da Costa, Alcides Dias Antunes, Alcides Maya, Antão de Faria, Ataliba Figueiredo Paz, Celeste Gobato, Darcy Azambuja, Eurico Rodrigues, Maurício Cardoso, Ney Cabral, Cônego Nicolau Marks, Paulo Arinos, Raul Moreira, Renato Barbosa e Thomas Mariante de Washington Martins.

A Federação, do Partido Republicano Rio-Grandense, já havia anunciado o surgimento de um novo jornal e comenta:

"...Dirigido por conhecido jornalista e contando com um corpo de bons colaboradores, o novo matutino surge com uma feição moderna e em condições de conquistar a simpatia e o apreço do público a que se propõe servir...".

Também o *Correio do Povo* faz o registro, na edição seguinte[3], num tópico das "Diversas":

"Como estava anunciado, circulou, anteontem, nesta capital, o primeiro número do Diário de Notícias, *dirigido pelo nosso colega de imprensa, dr. Francisco de Leonardo Truda...*

... o novo matutino apresentou-se, numa edição de dezesseis páginas, com todas as suas seções bastante desenvolvidas".

O novo jornal agradece:

"Teve um acolhimento que excedeu a nossa melhor expectativa o primeiro número do Diário de Notícias. *As dificuldades e os empecilhos inevitáveis que acompanham o aparecimento de um jornal e bem assim a grande procura que o número de domingo teve nos impediram de atender com a desejada regularidade a distribuição do jornal... Inúmeras pessoas vieram domingo e ontem à nossa redação trazer-nos suas congratulações pelo aparecimento do* Diário *e seus votos de prosperidade... Os colegas da imprensa local tiveram a gentileza de noticiar o aparecimento desta folha em termos que muito nos cativaram...".*

Gentilezas à parte, a ambição era superar o *Correio,* e Truda empenhou-se por inteiro à tarefa. Não faltou nem mesmo a tentativa de incorporar à redação do jornal um filho do fundador do róseo*. Fernando Caldas havia se desentendido com a madrasta, dona Dolores, e estava agora na redação do jornal *O Estado de S. Paulo*. Único filho homem do primeiro casamento de Caldas Júnior, foi convidado por Leonardo Truda para participar da nova empreitada. Alexandre Alcaraz, padrinho de Fernando, tão logo soube do convite, viajou a São Paulo. Foi ao seu encontro no próprio *Estadão*:

– Fernando, é verdade que voltas a Porto Alegre para trabalhar no novo jornal que estão lançando? Dizem que é para matar o nosso *Correio*.

– É... fui convidado...

– Não fica bem servires aos nossos concorrentes.

– Tudo bem. Se vocês me conseguirem um bom lugar no *Correio*...

– Então está resolvido. Retornas comigo.

Truda e Pilla contavam com o apoio e a competência do diretor-gerente João Pedro de Moura na área administrativa. Ele vinha da Editora Globo, trazia a prática de "guarda-livros" e o apoio indireto da casa dos Bertaso ao novo jornal. Logo, ele tratou de fazer com que o *Diário de Notícias* circulasse em todo o interior do Estado, a começar pela Grande Porto Alegre.

Audácia do novo jornal conquista leitores

Ernesto Corrêa havia nascido há duas décadas, numa linha de imigrantes situada em Colônia Mariana Pimentel, então oitavo distrito de Porto Alegre. A localidade, entre o Passo da Estância e o hoje município de Mariana Pimentel, pertence à Barra do Ribeiro.

Habituado com a sisudez do *Correio do Povo*, Ernesto e uma boa parcela de gaúchos passam a admirar a linha audaciosa do novo jornal, inclusive na área publicitária.

Em maio de 1925, dois meses depois de chegar às bancas, o *Diário* publica uma série de anúncios inovadores. Somente depois da quinta publicação, em edições consecutivas, cessam as dúvidas dos leitores:

* No início do século 20, Caldas Júnior, fundador do *Correio do Povo*, importou grande quantidade de papel da Alemanha. As bobinas chegaram com um tom levemente cor-de-rosa. E durante um largo tempo, o jornal foi impresso nesse papel. Daí o apelido, até hoje lembrado. No final de 2003, o jornalista José Luiz Prévidi publicou um livro de crônicas e lhe deu o título de *Tempos do róseo*.

não é anúncio de livro da Editora Globo ou de um novo folhetim.

"Trata-se do admirável filme intitulado A Fêmea, *a que E. A. Dupont, o célebre diretor de cena, que na América do Norte foi classificado de competidor do famoso Cecil B. De Mille, emprestou todo o seu talento e reconhecida maestria na arte do gesto.* A Fêmea. *Seria escandaloso se não fosse humano... seria repugnante se não fosse, ao contrário, uma grandiosa lição de moral, digna de ser vista pelas mais distintas famílias. 3ª feira – Central –* A Fêmea.*"*[4]

Nos dias antecedentes, anunciava-se:

"...mulher com toda a sua fraqueza, que é também sua força invencível..."; "uma bela página de psicologia feminina, real como a própria vida"; "embora a linda mulher, na voragem ardente do seu amor, desça à posição ínfima do seu amado, este não se demove e prefere ligar-se a outra de sua espécie".

Menos de dois meses depois[5], os leitores se surpreendem, mais uma vez. O anúncio do xarope *Saphrol* ocupa toda a página, as letras do nome do produto misturadas ao texto. Cada uma ocupa seis centímetros de coluna, a começar pelo "S" no alto da primeira, à esquerda, descendo diagonalmente até a letra "L", na sétima coluna. Na oitava, as virtudes do produto: cura tosse, bronquites e fortalece os pulmões.

Só no formato e no número de páginas, os jornais se assemelhavam: dezesseis páginas aos domingos, doze nas terças-feiras, oito nas quartas, doze nas quintas, oito nas sextas e dez aos sábados, com raras exceções.

O *Diário* também dedica espaços generosos às pequenas questões do cotidiano dos porto-alegrenses. A coluna "A cidade" traz notas diárias sobre preços altos, fala das "pessoas mal-educadas que batem seus tapetes na janela", reclama dos chatos e importunos nos parques e passa por uma ode à mulher de tranças, para criticar a moda dos cabelos masculinizados:

"Pela manhã de ontem vimos uma raridade na rua da Praia. Uma loura e gentil senhorinha deixava ver em público, caídas pelas espáduas, as delicadas tranças de uma cabeleira tão loura e linda como a sua própria possuidora. Foi um verdadeiro acontecimento. Por pontos diversos do passeio pararam transeuntes a contemplá-la... Uma mulher de cabeleira!... 'Rouxinol de trança', como dizia o poeta!...".[6]

Eventualmente, a coluna publica cartas de leitores. E as questões urbanas, um dos problemas mais questionados à época, merecem destaque permanente:

"Já mais de uma vez tratamos da situação horrível em que se encontram várias ruas da cidade, avultando, entre todas, a Voluntários da Pátria, cujo estado de abandono, principalmente nesta época de chuvas, é deveras alarmante, pois chegam a formar ali, por dias e dias, verdadeiras lagoas e atoleiros (...) Outras ruas existem que reclamam também a atenção do poder público. Entre essas, está a Venâncio Aires, que jaz no mais completo abandono (...)".[7]

É um jornal irônico, quando a isso se propõe:

"As cervejarias de Porto Alegre resolveram, mais uma vez, aumentar o preço da cerveja e do seu principal derivado – o chope. Essa atitude não deixa de ser patriótica. As fábricas locais da popular e procurada bebida outra coisa não têm em mira, com essa resolução, senão extingüir o regime das carraspanas e bebedeiras e impor o regime da 'lei seca', tudo isso com o nobre intuito de salvaguardar os altos e palpitantes interesses da nacionalidade, nesta hora de grave perigo por que ela atravessa. Se o feijão, a banha, o arroz, a farinha e a carne são gêneros que estão por um despropósito, porque, então, só a cerveja e o chope haviam de se manter firmes, conservando o preço do ano passado? Infelizmente, enganaram-se no resultado desse respeitável e humanitário sentimento... Quanto mais se proíbe o fruto, mais

desejado ele se torna. (...) Daqui por diante, vai aumentar ainda mais a saída da cerveja e do chope. E tão grande vai ser essa saída, que os senhores fabricantes não terão outro remédio, embora isso seja a contragosto de seus sentimentos, senão aumentar outra vez o preço...".[8]

Ernesto era vaidoso, tinha espírito agregador e personalidade forte

Ernesto Corrêa se dedicava, aos vinte anos, à orizicultura, junto com o pai, Alcides Corrêa da Silva, descendente de portugueses, com quem aprendeu os segredos da caça nos matagais às margens do arroio Ribeiro e do rio Guaíba. Tinha no sangue uma pitada forte do espírito rigoroso do avô materno, Jacob Hoff. Na história da família, narrada pelo descendente Victor, no livro *Do Reno ao Guaíba*, Jacob surge como o quarto filho do patriarca Johann Adam Hoff, ou, no Brasil, simplesmente Adão Hoff. Veio menino da Alemanha, "era muito enérgico, quase um tipo prussiano". E o neto Ernesto trazia algumas outras singularidades do avô: era vaidoso no vestir, tinha espírito agregador, rasgos de bondade e uma personalidade forte.

Ernesto tomou gosto pela leitura folheando o *Correio do Povo*. A "venda do seu Adão", o bisavô do menino, foi, durante muitos anos, o ponto de reunião da gente de Barra do Ribeiro. Aberta todos os dias desde madrugada, só fechava as portas por volta de 22 horas. O chimarrão servia como abraço de boas-vindas para os fregueses, fornecedores, viajantes. Mais do que um simples comércio, a "venda" funcionava como posto dos Correios e agência para venda de passagens de diligências. Era também um banco e representação de jornais. Rodeado de familiares e convivendo com figuras estranhas, vindas de todos os lugares, passou ali boa parte da infância, até ser trazido a Porto Alegre, pela avó paterna, para estudar.

Foi uma família de muitos recursos. Empreendedor, o velho Johann Adam trouxe da Alemanha a habilidade de tecelão. Ao chegar, percorreu as povoações alemãs já existentes em Santa Catarina e no Rio Grande do Sul. Diante da realidade do mercado incipiente, optou pela agricultura e se estabeleceu em Boqueirão. Pouco depois, mudou-se para Potreiro Grande, a 28 quilômetros de Barra do Ribeiro, para onde se transferiu quando resolveu trocar as agruras da vida de colônia pelo comércio. Acabou proprietário da quase totalidade das terras do município.

O pai de Ernesto era orizicultor próspero, até ocorrer uma sucessão de safras desastrosas. Ele e os filhos perderam tudo. Ernesto havia casado há pouco, aos 21 anos, com Maria Izabel, uma menina de dezesseis anos. Foi uma cerimônia bonita, os dois casamentos de duas irmãs, Maria Izabel e Fifina, filhas do mesmo pai e de mães distintas, também estas duas irmãs.

Arthur Oscar de Souza, o sogro de Ernesto, fora casado com Honorina, e o casal teve três filhos: Cândida, a Candoca, Alice e Josefina, a Fifina. No parto da última, Honorina teve problemas e não resistiu. Mas a menina sobreviveu e Anna Luiza, irmã de Honorina, passou a cuidar dos sobrinhos órfãos. Desesperou-se quando, pouco tempo depois, Arthur, capitão do Exército, foi transferido para o Nordeste. Inconformada com a hipótese de se afastar das crianças, sugeriu ao cunhado que as deixasse no Sul, ela cuidaria com carinho de todas.

Mas a solução apontada por Arthur foi outra:

– Você casa comigo, vamos juntos para o Nordeste, as crianças seguem conosco.

E assim foi. Anna Luiza rompeu um noivado, casou-se com Arthur, e o casal teve outros quatro filhos: Arthur, Sabino, José e Maria Izabel, esta dez anos mais moça que Fifina. Naquele dia[9] colorido de primavera porto-alegrense, estavam todos felizes. Fifina casou com Jones Duarte, dentista, natural de Pelotas, e Maria Izabel, com Ernesto Corrêa.

"Era um homem bonito, já conhecido na capital gaúcha também pela elegância, arrogante, com muito dinheiro no bolso." Lia, a primeira filha, nascida em fevereiro do ano seguinte, recorda bem a postura do pai e o quanto a vida mudou para a família quando ele empobreceu. Foram de um extremo ao outro: o jovem príncipe transformou-se em pai de família de futuro incerto.

Um recomeço de tudo. Ernesto conseguiu emprego no Banco do Brasil, Maria Izabel foi ser professora numa pequena escola no fim da linha de bondes do bairro Partenon. E o casal, com a filha, decidiu morar nos fundos da casa de madeira, onde funcionava o colégio, para evitar despesas com aluguel. Tempos difíceis, dinheiro escasso. Ernesto tinha uma única calça para o trabalho e, no dia em que Maria Izabel queimou-a, ao passá-la, ele ficou à espera, de cuecas, enquanto ela providenciava outra junto a um familiar.

Ele tinha por hábito aguardar o início do expediente sentado nos bancos da praça da Alfândega, comendo pão de cachorro-quente. Aproveitava o intervalo de almoço para ler o *Diário de Notícias*, página por página. O novo jornal era essencialmente informativo, identificado com os rumos do jornalismo no início do século. Estava no fim a fase da imprensa vinculada à política, com jornais defensores de programas partidários.

Ernesto também acompanhava com interesse especial a trajetória de um jornalista voluntarioso, o paraibano Assis Chateaubriand, declaradamente apaixonado pelo espírito fronteiriço dos homens do pampa:

> *"Costumo sempre dizer que, quem quiser sentir profunda e intimamente o Brasil, entre no Exército, na Marinha, ou vá ao Rio Grande. Dessas três eminências, o panorama da unidade nacional é deslumbrante...*
>
> *...Naquelas coxilhas o gaúcho é mais brasileiro do que o paraibano, do que o mineiro ou o paulista. Explica-se. O carioca, o paulista ou o fluminense olham para os pontos cardeais e só vêem Brasil. O gaúcho alonga a vista e vê ao Sul o uruguaio e ao oeste o argentino. É a única das nossas coletividades com uma forte personalidade e um crespo sonho de grandeza, que acotovela o estrangeiro. Isso dá ao seu patriotismo uma sensibilidade eu direi quase enfermiça. A vizinhança do estrangeiro faz aos povos de fronteira patriotas mais exaltados, mais crepitantes do que aquelas que ocupam outros climas da topografia nacional..."*.[10]

Começa o grande embate: Getúlio x Chateaubriand

Em 1927, Chateaubriand fez uma primeira tentativa de adquirir o *Diário*. Só não o conseguiu pela direta interferência de Oswaldo Aranha, preocupado com eventuais ambições políticas do jornalista, em contraposição aos sonhos de Getúlio Vargas. O episódio, aliás, foi decisivo para um acontecimento histórico da imprensa brasileira. Diante desse obstáculo ao seu propósito de plantar alicerces no Sul, Chateaubriand optou por uma solução maior: criar um veículo capaz de atingir ao mesmo tempo todo o território do país. Assim é que, em dezembro de 1928, nasceu a revista *O Cruzeiro,* para se tornar uma das publicações mais vigorosas da cadeia dos Associados e um dos marcos do jornalismo do Brasil.

Oswaldo Aranha, na verdade, desconhecia a aproximação entre Getúlio Vargas e Assis Chateaubriand. À época ministro da Fazenda de Washington Luiz, Getúlio visitava com assiduidade a redação de *O Jornal*, do Rio de Janeiro, o primeiro veículo da cadeia dos Associados. Fazia-o publicamente, despreocupado com as críticas veiculadas pelo jornal contra o presidente da República. Chatô retribuía a gentileza na mesma moeda: também com freqüência era visto, à noite, na casa de Getúlio.

Com o passar do tempo, a convivência entre ambos tornou-se turbulenta. Um tinha consciência da grandeza do outro e ambos estavam perfilados, embora por caminhos distintos, no rumo de um mesmo propósito: o poder. Sabiam-se necessários em certos momentos e inimigos em outros.

Na história do *Diário de Notícias,* em 1927, acontecimentos importantes: a compra de moderna impressora e a mudança das instalações para a rua da Praia, números 345 e 347, em frente à praça da Alfândega, onde hoje está edificada a galeria Di Primio Beck.

> *"...Com a mudança de oficinas, administração e redação para o novo e confortável prédio, de dois andares, num ponto central da cidade, todas as nossas dependências ficaram admiravelmente distribuídas e situadas. No pavimento térreo, estão localizadas as oficinas. No primeiro andar, ficam as salas da redação, da gerência, da revisão, gabinete do diretor, portaria e salão de honra do jornal. Pouco depois das 22 horas, começou a funcionar a grande máquina rotativa, construída especialmente para o* Diário de Notícias, *pela casa 'The Duplex Printing Press Co.', dos Estados Unidos... e fornecida pela casa vendedora para a América do Sul, a The National Paper and Type Co., de Nova York, com sucursal em Buenos Aires...".*[11]

A nova sede torna-se referência na cidade. Poucos dias depois da inauguração, no mesmo mês, estudantes se reúnem em frente ao prédio para uma manifestação de protesto à posse do ex-presidente Arthur Bernardes como senador vitalício.

A linha editorial do *Diário*, nesse ano, amplia o leque de temas e colaboradores. Ao mesmo tempo em que, na área internacional, o jornal inicia a publicação de uma série de artigos assinados por Benito Mussolini, alerta a população de Porto Alegre, nas páginas de noticiário local, para o perigo dos vigaristas à solta. Narra em detalhes a ação de dois habituais trapaceiros, Olivério da Silva Braga, o "Mãozinha", e João Rodrigues, mais conhecido por "Carioca":

> *"...Estes dois larápios abordaram um cavalheiro, há dias chegado do interior, a quem comentaram pertencer ao comércio desta praça. Protestando ao desconhecido uma amizade espontânea e desinteressada, tentaram passar-lhe o célebre 'conto do bilhete premiado'. Tirando do bolso um bilhete da Loteria do Estado, extraída em 19 do corrente, habilmente falsificado com o número 09847, 'Mãozinha' e 'Carioca' haviam quase convencido a 'vítima', quando deles se acercou o agente de investigações Elpídio dos Santos, da Chefatura de Polícia. Olivério reconheceu-o imediatamente – já por várias vezes fora chamado a contas por ele – e fugiu, conseguindo fazer-se perder de vista. 'Carioca', porém, foi mais 'molóide'... O agente Elpídio efetuou a sua prisão..."*[12]

Também inicia a publicação de uma Página Literária. Colaboram grandes nomes: Dyonélio Machado, Augusto Meyer, Monteiro Lobato. A partir daí, é decisiva a contribuição do jornal às artes em geral.

Ângelo Guido tivera uma passagem rápida pela capital gaúcha, em 1925, para uma palestra e uma exposição de trabalhos. Os críticos e a imprensa logo reconhecem seu talento, e quando, em 1928, ele decide se transferir para Porto Alegre, torna-se o primeiro crítico de arte profissional da imprensa gaúcha, contratado pelo *Diário de Notícias*. "Até sua chegada, a crítica neste periódico era exercida por colaboradores, na sua maioria jornalistas e escritores, de forma esporádica, tendo uma linguagem mais voltada para o âmbito literário..."[13]

Entre 1924 e 1928, Ângelo Guido fez uma série de viagens pelo Norte e Nordeste do país e, dessas incursões, além das paisagens pintadas, trouxe estudos sobre a arte e o artesanato lá produzidos, e sobre as lendas e mitos da Amazônia, textos também publicados com exclusividade pelo *Diário de Notícias*.

Deve-se ao jornal, ainda no setor de artes, o debate amplo sobre o movimento modernista brasileiro, até então circunscrito a conversas acadêmicas. Aliás, Ligia Chiappini Moraes Leite, ao estudar o Modernismo no estado gaúcho, alinha a fundação do *Diário de Notícias* como "importante fato" ligado ao movimento nascido em São Paulo. Ela lembra a paulatina migração de intelectuais do *Correio do Povo* para o novo jornal e a divulgação das idéias do grupo paulista Verde-Amarelo. As crônicas de Fernando Callage, até então publicadas no *Correio*, ampliam-se ao serem transferidas para o *Diário* e trazem entrevistas com os principais nomes do Modernismo: Menotti Del Picchia, Plínio Salgado, Cassiano Ricardo e Guilherme de Almeida.[14]

A rua da Praia, na década de 20, era a grande e charmosa passarela para o *footing* de todas as tardes. E a moda e suas nuances tinham nela o palco adequado. Ali também se fazia a crônica social da época:

> *"Tarde sombria. Caras sombrias. Nuvens cinzentas no céu. Nuvens mais cinzentas ainda na alma das elegantes. / Elas virão? Elas virão? E os olhos alongam pela rua ao sol, numa ansiedade de espera. (...) Mas ei-las que aparecem. Viva la gracia! / De perto, chapeuzinho roxo, passa a figura delicada de Regina Bertaso; Maria Amoretty, de olhos escuros que sonham, bem trajada de branco; vem também da mesma cor Eleonora Massot, alva e graciosa./ De azul, muito elegante, passam Amélia Rocha e Dail Pereira... Marieta Seabra, de verde, vão encantando os* flâneurs *que as contemplam./ Em automóvel, passam fugidias Clotilde Elejalde e Silvia Peixoto. E outras já vêm para a alegria da tarde. (...) Todas formosas, confirmando a afamada beleza da mulher gaúcha".*[15]

Um processo de ridicularização dos movimentos feministas permeou toda a imprensa do país no final do século 19 e primeiras décadas do século 20.[16] O *Diário* não fica imune e publica sarcásticos comentários de colunistas do jornal à luta das mulheres brasileiras por igualdade e novos direitos.

Roque Callage é exemplo nesse sentido, com o texto "*A la garçonne*: crônica de idéias curtas":

> *"...A mulher moderna é um mecanismo tão complicado e fácil de desarranjar – e difícil de arranjar – que, se os homens tivessem juízo, nenhum casava sem ter o curso de engenharia...".*[17]

Já nos anos 30, o artigo "Dêem saias ao Brasil", assinado por Theodemiro Tostes, apenas com as iniciais, T. T., é bem mais virulento:

> *"O feminismo anda assanhado. Fala em direitos. Fala em postos. E pensa que, se os homens do Brasil falharam, o mais razoável é fazer-se agora uma experiência com as mulheres. (...) A mulher está cansada do seu papel deprimente. Na cozinha. No lar. Na sociedade. Em toda a parte. E quer, portanto, nivelar-se ao ho-*

mem. Diante da lei e de si mesma. Quer desmentir a lenda bíblica. E dois mil anos, mais ou menos, de experiência prática. Esta senhora, por exemplo, que pretende, atualmente, um posto de oficial do Exército, é um expoente encantador do feminismo. Sabe que entre homens e mulheres existe apenas uma diferença irremediável... Na guerra, quantos homens poderiam ser sacrificados, apenas porque a coronela se distraíra com sua maquiagem.... Não, senhoras. Sosseguem. O nosso mundo está bem feito. Já há gente demais para fazer guerra e tolices. O que nos falta é gente pra fazer filhos e criá-los".[18]

Cinco dias depois, T. T. volta à carga, em "Da vantagem de ser mulher":

"...são criaturinhas que adquiriram o direito de cometer asneiras. Coisas que num homem ficariam mal, numa mulher poderão ficar admiráveis. Assim a maquiagem, a gestação, os erros ortográficos e tantas outras atribuições da linda fauna feminina".[19]

Passada uma semana, os antifeministas deparam-se com uma resposta redigida com seriedade por Sylvia Serafin, em "Os direitos políticos da mulher":

"É preciso que se termine de vez com esse absurdo da interpretação dada à palavra homem ou suas substitutas: indivíduo, etc... nas páginas do Código. Em certos lugares, significa: humanidade. Noutros, apenas: o homem com exclusão da mulher. Por que se não discute se o termo 'criminoso' vale apenas em seu gênero gramatical, e que portanto as penalidades a ele aplicáveis não são às criminosas? Se a mulher não tem plenos direitos, completamente semelhantes aos dos homens, não deveria tampouco absoluta responsabilidade, a deste igual".[20]

Chatô finalmente planta raízes no Rio Grande

Às vésperas de eclodir a Revolução de 30, Chateaubriand finalmente planta raízes no Rio Grande, com a ajuda decisiva de Getúlio. Os primeiros cinqüenta contos, de um total de 450, com os quais Chateaubriand formalizou a compra do *Diário de Notícias*, saíram do caixa da Aliança Liberal e, por ironia, pelas mãos de Oswaldo Aranha.

Dirigente aliancista e, muitas vezes, através de artigos e reportagens, porta-voz de Getúlio, Chatô pretendeu valer-se dessa condição para ampliar ainda mais o seu consórcio de jornais. O alvo seguinte foi o grande rival, o *Correio do Povo*. A viúva de Caldas Júnior, dona Dolores, às voltas com problemas internos na empresa, havia decidido vender o jornal. Consciente do interesse e das ambições de Chateaubriand, orientou o irmão José Alexandre Alcaraz para que ultimasse a negociação. Mas Oswaldo Aranha, desta vez, não concordou. Seria poder exagerado nas mãos de um homem só. Ele não simpatizava com aquele nordestino de baixa estatura e o imaginou a ditar regras no seu Rio Grande. Não, isso não. Ele próprio assinou o telegrama endereçado a João Neves da Fontoura:

> *"Deputado João Neves. Ontem avião Nyrba viajou Alexandre Alcaraz para negociar com Chateaubriand venda do* Correio. *Evite essa transação inconveniente neste momento. Afetuosamente. Oswaldo Aranha".*[21]

A venda desejada por dona Dolores precipitou especulações de toda a ordem, trouxe-lhe muitos dissabores e se tornou o grande assunto da capital gaúcha.

O enteado Fernando Caldas, diretor do jornal, decidiu demitir-se, inconformado com os rumos das negociações, agora promovidas por Joaquim Alcaraz junto a Paim Filho, então secretário da Fazenda do Estado. Havia a preocupação de um grupo de políticos ligados ao Partido Republicano Rio-Grandense com a possibilidade de o jornal cair em mãos de adversários de Getúlio Vargas.

A demissão de Fernando originou uma pequena nota, formal e protocolar, redigida por outro filho de Caldas Júnior, o jovem Breno, às vésperas de se tornar redator-chefe do *Correio*:

> *"...Motivos poderosos e respeitáveis, de ordem pessoal, determinaram o afastamento do nosso prezado companheiro e chefe, que deixa, nesta Casa, mais do que auxiliares, verdadeiros amigos. Graças à maneira cordial...".*[22]

A notícia só fez alimentar vaidades e especulações. Houve uma série de boatos e desmentidos indicando, inclusive, que Fernando Caldas iria para o *Diário*. Isso não aconteceu, ele tinha sonhos maiores,

Chateaubriand, Maria Izabel e Ernesto Corrêa: Recepção em homenagem ao Diário *na década de 50*.

fundou seu próprio jornal, o *Jornal da Manhã,* que, como tantos outros, teve vida curta, e Fernando, um dos herdeiros de Caldas Júnior, acabou por retornar à redação de *O Estado de S. Paulo.*

Foi a edição dominical do *Diário de Notícias*, no dia seguinte[23], que ele utilizou para manifestar, em detalhes, sua discordância com as negociações envolvendo a tentativa de compra do jornal fundado pelo pai. Redigiu um longo texto, "Como e por que renunciei ao cargo de diretor do *Correio do Povo*". As reuniões ocorridas, os valores acertados e a tentativa de cooptá-lo, inclusive com o convite para que continuasse na direção do jornal, tudo foi mencionado. Com o título em oito colunas, a página do *Diário* foi quase toda ocupada pelo texto revelador e com um final provocativo:

> *"Por último, se o* Correio *considera, como diz hoje, que ser procurado para receber propostas de compra representa uma evidên-*

cia do valor do jornal – inverta as situações, como é o caso, e conclua, comigo, que procurar compradores, forçando vendas, mediante ameaças, constitui unicamente desprestígio, desmoralização e descalabro".

Uma "bomba" jornalística.

Joaquim Alcaraz, outro irmão de dona Dolores, obrigou-se, na edição de terça-feira do *Correio*[24], a publicar uma carta-resposta: "Como e por que deixou o sr. Fernando Caldas a direção do *Correio do Povo*", na qual ele confirma, em grande parte, os entendimentos havidos com os eventuais compradores. E os justifica com uma série de acusações a Fernando Caldas.

Um prato cheio para os mexericos do Largo dos Medeiros e das augustas salas do poder da província.

Ernesto ingressa no jornal. Faz registros para a história

Ernesto Corrêa decide bater às portas do *Diário de Notícias.*

Só não podia imaginar, ao ser admitido como revisor do jornal, naquele dia de chuva e trovoadas, 1º de abril de 1931, que se tornaria amigo fraterno de Assis Chateaubriand.

É uma longa história.

Quatro meses depois do ingresso, guardou para si o entusiasmo com a notícia do concurso de reportagens para preenchimento da vaga aberta na redação. Ele sabia ser aquela a grande chance e tratou de abraçá-la. Nada disse para a mulher, mas pesava-lhe a responsabilidade de chefe de família: pouco mais de um ano antes havia nascido o seu segundo filho, Paulo Sérgio Corrêa, o Paloca.

Ernesto debruça-se sobre um tema para ele fascinante: o quadro econômico do Estado.

O interventor, general Flores da Cunha, havia criado a Bolsa de Fundos Públicos de Porto Alegre, futura Bolsa de Valores, em 19 de agosto. Resposta à "larga circulação de valores mobiliários a postular, para sua maior eficiência, um sistema de negociação organizado, visível e transparente", conforme o registro histórico.[25] Para estruturá-la, são chamados o presidente da Bolsa de Valores de São Paulo, corretor Abelardo Vergueiro César, um jovem e já expressivo advogado, Rui Cirne Lima, e o professor Rodolfo Simch.

Poucos leitores conheciam a importância do Decreto de Flores da Cunha. E Ernesto Corrêa busca respaldo na autoridade de Hercílio Inácio Domingues, mais tarde escolhido primeiro presidente do Tribunal de Contas do Estado.* Ele lembra o exemplo do mercado de ações norte-americano, para justificar a providência do general interventor. E do diálogo resulta uma análise dos principais problemas econômicos dos gaúchos, à época, e as soluções preconizadas:

– A necessidade da implantação de uma Bolsa de Mercadorias;
– A defasagem de tarifas existente entre o porto de Montevidéu e o de Rio Grande: o transporte de uma tonelada de lã exportada pelo porto uruguaio até o mercado europeu custa 18 "shillings"; feito o embarque no porto gaúcho, o custo sobe para 48 "shillings";
– A urgência da organização dos produtores em cooperativas em vez do sindicalismo de produção, posto em prática à época, tornando os preços pouco competitivos: o charque gaúcho perde terreno em função das manobras altistas do sindicato dos charqueadores;
– As limitações econômicas, financeiras e técnicas de todo o setor produtivo gaúcho e a necessidade de sua reorganização;
– A necessidade de dinamizar os serviços bancários, com a instituição de Câmaras de Compensação e a disseminação do uso do cheque;
– As dificuldades de escoamento da produção madeireira pela Viação Férrea, por ser simultânea com as safras de cereais e da pecuária, e a proposta de armazenamento gratuito no porto de Rio Grande.

A reportagem ocupou seis colunas da página 8 da edição de domingo, 23 de agosto de 1931. O título: "A instituição do Mercado de Valores e a sua projeção no cenário econômico do Estado". E uma cartola: "Os grandes problemas técnicos da atualidade rio-grandense".

Ganha o concurso interno e a vaga de repórter.

Um mês depois, Sabóia de Medeiros, homem da confiança de Chateaubriand, vem do Rio de Janeiro para substituir Edgar Luiz Schneider no comando da redação. E não se trata de uma mudança qualquer. Em especial para Ernesto Corrêa.

O enviado de Chatô logo tem sua atenção despertada para o perfil

* Em 2 de julho de 1935, pelo Decreto n° 6.004, são nomeados os cinco juízes que constituíram o primeiro Plenário do Tribunal de Contas do Estado: Hercílio Inácio Domingues, presidente, Viriato Vargas, Ulysses Rodrigues, Fernando Olinto de Abreu Pereira e João Antunes da Cunha. Gonçalo Marinho é o procurador do Estado junto ao Tribunal e Carlos Itiberê de Moura e Francisco Juruena, os auditores.

decidido do jovem magro, cabelos claros, sempre às voltas com indagações e textos de teor econômico. Com permanentes escaladas às oficinas, ou dedicado a pesquisas nas coleções do arquivo do jornal, de onde saía com blocos recheados de anotações. Alguns deles sobreviveram. É o caso dos registros cronológicos dos últimos anos da década de 20, com destaque para os eventos precedentes à Revolução de 30:

1928

Editoriais conjugados: **24/janeiro** – "Governo que finda", analisa o fim da Era Borges de Medeiros; **25/janeiro** – "Governo que começa", sobre o início da Era Vargas.

1° de maio – Matéria especial, na primeira página, sobre o exercício do jornalismo. Difícil. Vale registrar "O jornalista no Brasil":

> *"O deputado Bergamini, numa roda de colegas, ontem, na Câmara, comentava, desanimado, a má sorte que persegue os jornalistas no Brasil. – É a pior profissão, atualmente. É a que mais perseguidores e invejosos possui. Senão, veja: em São Paulo, acaba de ser condenado à prisão e multa, por haver incorrido na sanção da 'lei infame', o brilhante jornalista sr. Paulo Nogueira Filho. Seu feio crime foi ter escrito artigos denunciando e criticando o mecanismo complicado e suspeitíssimo do célebre Instituto de Defesa do Café. Paulo Nogueira é um dos mais valiosos espíritos da mocidade paulista, mas tem um defeito – é oposicionista...".*

23 de junho – Estréia a página "Elegância Masculina": monóculos, polainas brancas e ternos de casimira estão na moda.

1° de novembro – Concurso de contos promovido pelo *Diário*. Entre os jurados, Vargas Netto, Darcy Azambuja e Roque Callage. E nasce uma seção, "O público reclama...", com notas e fotos sobre problemas estruturais de Porto Alegre.

2 de dezembro – Anúncio de página inteira, nova promoção: o DN oferece aos assinantes uma apólice de seguros contra acidentes válida por um ano.

1929

3 de março – "O Modernismo na literatura em 1928." Mapa com os novos talentos brasileiros, por estado.

17 de julho – "A hora do Rio Grande". Texto de Leonardo Truda, na primeira página, defende candidatura de Getúlio Vargas.

6 de agosto – Fundada a "Coligação Rio-Grandense de Imprensa Pró-Getúlio Vargas-João Pessoa". Jornalistas de todo o Estado tomam parte na campanha. Parte da mesa-diretora é formada por Leonardo Truda, editor do *Diário*, e Fernando Caldas, editor do *Correio*.

28 de agosto – Texto de Fernando Callage: "Não há mais respeito para o Rio Grande". O antigauchismo começa a tomar conta de São Paulo. Júlio Prestes, presidente de São Paulo, com o apoio de Washington Luiz, é o principal adversário de Getúlio Vargas na sucessão presidencial.

10 de setembro – Anúncio surpreendente: "Quando fizeres uso do telefone, não te esqueças de, em primeiro lugar, dizer à pessoa com quem falares: 'Contribua para a vitória da chapa Getúlio Vargas e João Pessoa'. Só depois disso é que deverás declinar teu nome ou indagar qual o teu interlocutor".

1930

1° de janeiro – *Diário de Notícias* repete 1928, é o jornal de maior circulação postal no estado em 1929: 4.254.545 exemplares, contra 3.580.683 exemplares do *Correio do Povo*. A evolução do DN: 1926 – 1.952.387 exemplares; 1927 – 2.640.129 exemplares; 1928 – 3.228.256 exemplares.

1° de março – Matéria de capa sobre a eleição presidencial: "Rio-grandenses! Pela redenção do Brasil, pela dignidade do Rio Grande, cumpram, hoje, o vosso dever cívico". *Diário* publica cartas de Getúlio Vargas, Borges de Medeiros, Oswaldo Aranha e João Neves da Fontoura.

6 de março – Editorial: "Para defender a vitória". Louvor aos gaúchos pelos quase 300 mil votos dados à Aliança Liberal.

7 de março – Manchete da primeira página: "Para disfarçar a derrota da candidatura oficial, o Catete mantém severo controle sobre o telégrafo". Difícil obter resultados da eleição nos estados. Censura!

25 de março – Assis Brasil acredita na vitória dos ideais da Aliança Liberal, embora a suposta derrota no pleito presidencial: "Não enxergo homens, senão idéias, nessa luta (...) Fomos para o combate não para vencer homens (...) mas para que as nossas idéias triunfassem".

20 de abril – Inaugurada a Galeria Chaves. A cidade fica mais bonita. Duas páginas (texto e fotos).

15 de julho – Yolanda Pereira, gaúcha, é eleita Miss Brasil. Matéria de página inteira. O editorial deixa de ser publicado na capa, as manchetes passam a ocupar oito colunas. Em agosto, Yolanda é Miss Universo.

22 de outubro – Entrevista de Getúlio Vargas a Assis Chateaubriand, em Curitiba, publicada com exclusividade pelo *Diário*.

25 de outubro – Bela capa: "Está vitorioso em todo o país o movimento revolucionário" é a manchete principal. Ilustração de John Fahrion, em quatro colunas, intitulada "Grilhões Partidos", mostra um brasileiro rompendo as amarras. Abaixo dela, artigo de Leonardo Truda, "Pátria reconquistada".

9 de dezembro – "Uma festa de cordialidade jornalística." Muda o comando da redação. Leonardo Truda, a convite de Getúlio Vargas, vai para uma diretoria do Banco do Brasil. E o dr. Edgar Luiz Schneider volta ao jornalismo para ocupar o posto de Truda. No discurso, Schneider diz:

> *"Entre as forças que prepararam e favoreceram o advento da revolução saneadora, nenhuma outra sobranceou, em tenacidade e persuasão, a da imprensa periódica. (...) Nos países de recente formação política, a ação do jornal é constante, representando a polícia dos costumes e da vida pública; revela e analisa os fatos, suscetíveis de censura ou de aplausos; denuncia as transações suspeitas e os interesses facciosos; clama contra os abusos, os erros e as violências...".*

As fantásticas aventuras jornalísticas na Revolução de 30

Ezequiel Oliveira relembrava:

"Tudo que dizia respeito ao *Diário* ele queria saber como funcionava. Vivia na oficina, conversando com todos. Era o primeiro a chegar e só saía com o prédio já fechando. Quando ficou sozinho na secretaria do jornal, aí sim tivemos que trabalhar mais, o pessoal da oficina não teve moleza. Exigia serviço perfeito, sem erros. Problema só havia quando deixava de lado os textos para receber visitantes. Gostava muito de conversar, e atrasava nosso serviço".

Nas madrugadas, no decorrer dos anos seguintes, à espera que o jornal saísse da boca da rotativa, Ernesto tinha prazer em narrar aos parceiros de vigília episódios jornalísticos e a trajetória de vida de Chatô. E entre as histórias preferidas, estava a participação do comandante dos Associados na Revolução de 30:

"Ele era um dos principais articuladores da Aliança Liberal e aguardava impaciente um comunicado sobre a deflagração do movimento. Mas Oswaldo Aranha, mais uma vez, estava no seu caminho; considerava temerário avisá-lo antes da hora: 'Chateaubriand é um aliado leal, mas é

DIARIO DE NOTICIAS

S. A. DIARIO DE NOTICIAS

ANNO VI — PORTO ALEGRE, SEXTA-FEIRA, 10 DE OUTUBRO DE 1930 — N. 191

Ao appello das armas redemptoras o Brasil, do sul ao norte, se levanta e luta

—O— Um radio de Buenos Aires, aqui interceptado, noticia a adhesão do commandante da Região militar da Bahia —O— Informações com a mesma procedencia dizem ter adherido, tambem, á grande causa, parte da Armada Nacional

Forças mineiras tomaram tres cidades no Estado do Rio - Na capital da Republica foi assassinado, o sr. João Suassuna

AS FORÇAS MINEIRAS INVADIRAM O ESTADO DO RIO

FOI ASSASSINADO O SR. JOÃO SUASSUNA

Como os jornaes platinos informam sobre a revolução brasileira

O governo federal e a Agencia Americana veiculam as mais descabelladas mentiras

A ESCASSEZ DE VIVERES NO RIO

O AVANÇO DAS TROPAS LIBERTADORAS

O JORNALISTA ASSIS CHATEAUBRIAND

Reappareceu o director d'"O Jornal", do Rio, que fôra detido em Santa Catharina

LAGES, 9 (S. I. C.) — O jornalista sr. Assis Chateaubriand, director d'"O Jornal", do Rio de Janeiro, acaba de chegar á fazenda do coronel Vidal Ramos, neste municipio.

A ARMADA NACIONAL AO LADO DA REVOLUÇÃO

A IMPORTAÇÃO DE ARROZ, BANHA E

louco o suficiente para anunciar a revolução em manchete em seus jornais com dois dias de antecedência, só pelo prazer de 'furar' os concorrentes'. Apenas na véspera, já à noite, ele teve a confirmação do dia e hora da Revolução de 30: amanhã, dia 3 de outubro, 17 horas. Explodiu, dando murros na mesa e gritando para o amigo Austregésilo de Athaíde:

"– Cachorros! Os cachorros da Aliança me enganaram! Eu aqui arriscando minha pele e na hora H esses cornos me deixam de fora.

"Chateaubriand conseguiu, naquela madrugada, um bilhete aéreo no hidroavião Junkers G-24, da Condor.

"Mas o amanhecer do dia da revolução estava repleto de nuvens negras no sul do país, e o vôo termina no dia seguinte em Florianópolis. A revolta já nas ruas, o comandante do Junkers recebeu ordens para não levantar vôo na direção de Porto Alegre. Chateaubriand assemelhava-se a uma fera enjaulada e enlouquecida, ao ver-se imobilizado na capital de Santa Catarina. Decidiu partir para o Rio Grande de qualquer forma e iniciou uma viagem maluca, inicialmente de automóvel, até a cidade de Bom Retiro, e depois montado a cavalo. Continuava a chover dia e noite. Chatô chegou a São Joaquim, no alto da serra, depois de mil e uma peripécias, entre elas a perda de documentos e a queima da batina com a qual deixara Florianópolis.

"Sem provas de identidade, Chatô acabou preso por Bibiano Lima, o líder local da revolução:

"– Tu queres que nós acreditemos que tu és o Assis Chateaubriand, dono dos jornais, membro da direção nacional da Aliança? O Assis Chateaubriand em pessoa aqui em São Joaquim, logo hoje e de surpresa? Pois eu vou te dizer quem és: tu és um espião, e espião aqui nós passamos em armas. Tu vais ser fuzilado por espionagem.

"Chatô não podia acreditar. Ele, um dos primeiros conspiradores da Revolução, perdido no solo catarinense, no meio de uma viagem inacreditável, seria morto pelos próprios parceiros.

"– Isso que vão fazer é uma selvageria, vão fuzilar um inocente! Eu sou um revolucionário, um camarada de vocês!"

Ernesto faz uma longa pausa, dá um passo para trás e pergunta:

"Sabem o que salvou o dr. Assis do fuzilamento?

"Um morador de São Joaquim, ouvindo os gritos, lembrou-se de César Martorano, representante de *O Jornal*. Além de vender assinaturas, ele enviava à redação, no inverno, notícias sobre a neve. São Joaquim já era conhecida como a cidade mais fria do Brasil.

"A idéia foi levada ao líder Bibiano Lima. Ele coça a barba, pensativo:

"– Tua execução foi adiada por uma hora. Até lá vais permanecer em prisão domiciliar na pensão do Apolinário.

"O proprietário do pequeno hotel determina que ele preencha o livro de hóspedes com nome, profissão, estado civil e assinatura. Queria-se isto: obter a assinatura de Chatô e compará-la com a existente na carteira profissional de Martorano. Postas lado a lado, não houve dúvidas, eram idênticas. Aquele homem era mesmo Assis Chateaubriand."

Ernesto se entusiasma:

"– Como termina a história? Com mais um "furo" do *Diário de Notícias*.

"Livre do fuzilamento, Chatô chega a Porto Alegre no dia 10 de outubro. Apresenta-se a Oswaldo Aranha, que tenta demovê-lo da idéia de lutar na revolução:

"– Lugar de jornalista na guerra é a retaguarda, estimulando o moral das populações civis e dos combatentes.

"Nada é capaz de mudar a decisão do cabra nordestino. Ele se alista como "voluntário", declina patente e, como "soldado raso", parte ao encontro de Getúlio, já então em Curitiba, no rumo da capital da República.

"Um abraço de amigos e uma entrevista do chefe revolucionário, a primeira desde a explosão do movimento. Getúlio só liberou o texto depois de lê-lo e, ao final, ditou para Chatô um adendo cautelar sobre suas intenções futuras:

"– Até ontem agíamos em função de um programa político. Mas a Aliança Liberal foi formada para se fazer a campanha da sucessão. Hoje, no entanto, estamos dentro de um segundo tempo, uma insurreição armada. É uma coisa diferente. E podes salientar que a revolução terá que ser radical tanto nos princípios quanto na execução deles."

Os jornais do Rio e de São Paulo estavam sob censura. A entrevista foi publicada com exclusividade pelo *Diário de Notícias*, no dia 22 de outubro.

Vitoriosa a Revolução, é a vez de Getúlio Vargas instituir a censura, agora para vigorar em todo o país. A nota distribuída pelo Ministério da Justiça, publicada pelo *Diário de Notícias* com o título "A imprensa vai ter censores", é um primor de desfaçatez:

> *"O Departamento Oficial de Publicidade informa que, pelo ministro da Justiça, com o assentimento do chefe do Governo Provisório, e de acordo com os seus colegas ministros, foi deliberado: 1º) Que cada ministro providencie no sentido de que os atos e resoluções de suas respectivas pastas e repartições dependentes, bem como tudo o que se relacione com a administração, sejam somente encaminhados à imprensa por intermédio do Departamento Oficial de Publicidade, pelo qual serão feitas, com urgência, as devidas comunicações; 2º) Que para conciliar a liberdade que o governo não deseja tolher à imprensa e os interesses de ordem e estabilidade do novo regime, que, acima de tudo, lhe cumpre zelar, sejam adotadas providências, nesta capital e nos estados, a fim de impedir a divulgação de notícias alarmantes, infundadas e tendenciosas, profundamente impatrióticas, que, nem por serem falsas, deixam de acarretar graves prejuízos ao Brasil, comprometendo o crédito público e a segurança nacional; 3º) Para orientar a execução dessas deliberações, o Departamento Oficial de Publicidade designará um representante junto a cada jornal desta capital e tomará iguais providências nos estados".*[26]

"A história deste jornal é fantástica", dizia Ernesto Corrêa. "Quem sabe, algum dia, eu a escreva."

Nunca o fez.

Ao completar-se meio século da fundação do *Diário de Notícias*, eu me encontrava na superintendência da empresa e pedi-lhe um texto especial. Ernesto usou uma página inteira para contar a história dos Diários Associados do Rio Grande do Sul.[27] Foi extremamente generoso ao referir seus parceiros, incluídos aqueles que não o prestigiaram no tempo devido, e exageradamente econômico sobre si mesmo: sequer registrou sua escolha para a direção do jornal.

Não importa. A trajetória profissional por ele percorrida é um pedaço da história da imprensa do Rio Grande.

Ernesto Corrêa é preso. E o *Diário* deixa de circular

Ernesto Corrêa ascende rápido. No final de 1931, é chamado por Sabóia de Medeiros para produzir textos especiais e responder pela edição de páginas e de cadernos.

Começa um longo aprendizado sobre os bastidores de empresas jornalísticas. No início do ano seguinte, assiste a uma disputa de poder: Pedro Moura, diretor-gerente, decide bater de frente com Assis Chateaubriand. Faz publicar no *Diário de Notícias* correspondências e documentos envolvendo as negociações para a compra do jornal pelo comandante dos Diários Associados.

Pedro Moura não sustenta um mês o embate. Encurralado, renuncia com estardalhaço. Publica um texto na primeira página, com o título "Ponto final":

> *"...Está finda minha missão. Fui vencido, não pela solércia, nem pelas artimanhas do sr. Assis Chateaubriand, menos ainda pelo saber e pelas habilidades profissionais de seus procuradores, pois que a lei e a razão estavam de meu lado, mas exclusivamente pela política de alguns homens que não trepidaram em estender mãos honradas ao mais insigne dos chantagistas nacionais".*[28]

Junto com Pedro Moura, também deixam o jornal Fábio Barros, suplente do diretor de redação, e Arthur do Canto, suplente do diretor-gerente.

É apenas o véu de uma disputa maior e com outro colorido: no fundo, está a Revolução Constitucionalista* de 32. Chateaubriand, insatisfeito com os rumos do Governo Provisório e com a presença cada

* A Revolução Constitucionalista prolongou-se de julho a outubro de 1932. A oligarquia paulista, considerando-se desprestigiada por Getúlio Vargas, articulou, com grande apoio popular, um movimento pela reconstitucionalização do país. Em 2 de outubro, depois de três meses de luta armada, os paulistas se renderam às forças do governo federal. Estatísticas oficiais apontam 830 mortos, mas estima-se que o número tenha sido bem maior.

vez mais decisiva do tenentismo junto a Getúlio Vargas, põe seus jornais a serviço das forças paulistas ainda inconformadas com a Revolução de 30 e que agora se organizam e se armam contra Vargas.

Outra história vivida muito de perto por Ernesto Corrêa. Naquele ano, o *Diário* acabou fechado, e ele, na prisão. A 9 de julho, em São Paulo, explode o movimento dito constitucionalista, e Chateaubriand parte para a clandestinidade. Dorme a cada noite em lugares distintos, para escapar às batidas policiais. Até finalmente ser preso. Getúlio Vargas não titubeia. Arma ainda mais o braço forte da censura sobre todos os jornais da cadeia dos Associados. Só escapam os paulistas *Diário da Noite* e *Diário de São Paulo*, transformados em órgãos oficiais da Revolução.

O cerco feito pelos censores é inflexível, em especial no Rio Grande do Sul. Surge a idéia de imprimir o *Diário de Notícias* em Rivera, no Uruguai, ou Paço de los Libres, na Argentina. Na prática, no entanto, isso é inviável. Ernesto Corrêa, como um dos jornalistas responsáveis pela edição, é levado com os demais dirigentes para um quartel da Brigada Militar, na Praia de Belas.

Fica preso quinze dias. Sua maior preocupação é com a esposa, às vésperas de dar à luz. Helena nasce em outubro. Lia, a filha primogênita, chora a ausência do pai. Por isso, quando o amigo Augusto de Carvalho vai comunicar a Ernesto a ordem para sua libertação, passa antes pela casa da família, na rua Fernando Machado. Ergue Lia nos braços e a convida:

– Vamos buscar teu pai.

– Papai?

A menina de cinco anos de idade guarda a cena para o futuro. Aos prantos, entra no quartel e, para sua surpresa, encontra o pai sorridente e tranqüilo, em animada conversa com os brigadianos. Os presos jogavam sinuca num amplo salão.

– Eles são amigos, minha filha.

Chateaubriand não teve a mesma sorte. Pouco depois de sua detenção, o Governo Provisório trata de deportá-lo para o Japão. Forja-se um passaporte e ele é embarcado como passageiro no navio japonês *Hawaii Maru*. A bordo, Chatô reivindica o exemplar em inglês da Constituição japonesa, redige um protesto ao comandante e o responsabiliza por eventual incidente diplomático internacional. O navio está a trinta milhas da costa, os motores são desligados. Demoradas e plenas de ameaças se fazem as tratativas, pelo rádio, com autoridades do Brasil e da Embaixada do Japão. "Depois de 27 horas de escaramuças radiotelegráficas"[29], Chatô volta à terra firme, direto para a sala do diretor da Detenção, Dulcídio Cardoso.

– Como o capitão pode ver, estou aqui novamente. Espero que entenda a minha volta como uma demonstração de amor ao senhor e à prisão que dirige. Troquei férias prolongadas entre gueixas e crisântemos pela cadeia fedorenta em que o senhor vai me encerrar.

O irmão, Oswaldo Chateaubriand, diretor dos Associados em São Paulo, onde os jornais permaneciam livres da censura, escreve outro artigo virulento sobre a tentativa de deportação e as opressões à empresa:

> *"...Houve por bem a ditadura dos tenentes (pois que o sr. Getúlio Vargas é um trapo) perpetrar essa violência na pessoa do diretor d'*O Jornal *e do* Diário de São Paulo *como castigo pela atitude que assumira na direção dos Associados – e a seus companheiros, como uma ameaça se lhe continuarem a obra. Mais uma vez os tenentes se afirmam como tipos de inteligência de rato, de que a nação já se fartou...*
>
> *"...Foram arrolhados* O Jornal *e o* Diário da Noite *do Rio porque não quiseram servir a essa torva figura de celerado que é o sr. Getúlio Vargas; foi fechado espontaneamente o* Diário de Notícias *de Porto Alegre, para não se cobrir de lodo aplaudindo a negra felonia do sr. Flores da Cunha; foram abafados o* Diário de Minas *e o* Diário da Tarde*, de Belo Horizonte, por se recusarem a favorecer..."*[30]

A revolução capitula a 2 de outubro de 32. E, enquanto ela resistiu, o Governo Provisório feriu fundo a capacidade organizacional e financeira dos Associados. *O Jornal*, do Rio de Janeiro, veículo líder da empresa, só volta ao comando de Chateaubriand em novembro do ano seguinte.

Não há registro fiel sobre o período exato em que o *Diário de Notícias* deixou de circular. Ezequiel Oliveira informa terem sido quatro meses. Cícero Soares, em outra entrevista, fala em seis meses. Na coleção do Museu Hipólito da Costa, os primeiros exemplares encontrados, depois de julho de 1932, são de janeiro de 1933, quando Ernesto promove a estréia de um caderno semanal, aos sábados, sobre Economia e Finanças, também em formato tablóide. Na edição inicial, uma ampla análise sobre o desempenho da balança comercial brasileira no ano anterior.[31]

O retorno à circulação esbarra no déficit acumulado nos meses de paralisação. Para enfrentar o problema, Chatô negocia um contrato de publicidade no valor de setecentos contos, para todos os seus jornais. Apanha o dinheiro, adiantado pelo Banco Noroeste, e envia-o na totalidade ao caixa do *Diário*. Para fortalecer ainda mais o processo de reerguimento do jornal, vem do Rio de Janeiro Frederico Barata, considerado "o mais completo homem de imprensa do grupo dos Associados". Chateaubriand testemunharia, mais tarde:

> *"Não articulou uma objeção. Pediu ordens. Fiz-lhe ver a delicadeza da missão. Teria que fazer uma vida de jejum. Até novas instruções, negasse pão e laranja aos partidos. E ele restaurou as regiões devastadas do* Diário de Notícias, *executando lindamente um serviço duplo: dirigir um diário político e ser um magistrado. Ao deixar o Rio Grande do Sul, recebeu elevada recompensa. A opinião pública gaúcha o reconheceu e proclamou juiz incorruptível, que se revelara neutro na rixa dos partidos e o profissional de primeira ordem, que se afirmara na feitura do jornal".*[32]

O comandante dos Diários Associados aprendeu, em 32, mesmo com relutância, a mudar sua postura em relação a Getúlio Vargas. De nada adiantaria bater de frente, sistematicamente, contra um líder amado pela maioria da população. Getúlio Vargas convida Chateaubriand para um encontro, marcado por mútua ironia.

Ernesto Corrêa entusiasmava-se ao relatar esta história a seus alunos:

"Chatô abre os braços e caminha ao encontro de Getúlio:

"– Ditador! É uma alegria revê-lo. Só agora posso agradecer as gentis férias que o senhor me ofereceu no império nipônico e que eu, impolidamente, recusei.

"Getúlio não responde, sorri, e quando o jornalista quer saber as razões que levaram o chefe do Governo Provisório a mandar João Alberto assenhorar-se de *O Jornal*, é a vez de Getúlio ser mordaz:

"– O problema é que tu tens muitos inimigos, dentro e fora do governo, Chateaubriand. Posso dar dinheiro a João Alberto para fundar jornais, posso alimentar à tripa forra* os jornais que nos apóiam, e ninguém se importa. Mas se é um favor para ti, vêm todos em cima de mim. É o diabo! Não posso fazer nada, nada por ti.

* À tripa forra. Brasileirismo: à larga. "Fazia um esforço sobre si mesmo para não enxotar aquela gente que ali bebia e comia à tripa forra." (R. Magalhães Júnior, Artur Azevedo e Sua Época, p. 43.)

"– Sei que há muito de velhacaria de sua parte – responde Chatô –, no que o senhor está dizendo, ditador, mas há muito de verdade também. Os Diários Associados são objeto de um ciúme nacional. É como se nós fôssemos uma mulher bonita, de quem todos têm ciúmes."

> *"Desde a operação ditatorial que quase liquidara sua organização, Assis Chateaubriand convencera-se de que precisava fazer transigências políticas que lhe permitissem correr menos riscos, ao mesmo tempo que preservassem um espaço de atuação jornalística e empresarial de que não abria mão."*[33]

Essa mudança de comportamento deve ser a razão pela qual o *Diário de Notícias* se viu obrigado a desmentir, na primeira página, rumores de uma nova orientação político-editorial dos jornais dos Associados. A nota do desmentido é curiosa, ao reconhecer que a notícia, divulgada com destaque pela imprensa adversária, teve "a mais profunda repercussão".

E reproduz o texto recebido do diretor dos Associados Gabriel Bernardes:

> *"Podeis desmentir as condições transmitidas pela Agência Brasileira sobre o propalado acordo da S/A O Jornal. Ciosos da nossa honra pessoal, nunca aceitamos uma proposta que importasse na quebra da dignidade dos Diários Associados ou de seus diretores e nem o cerceamento da liberdade desses órgãos, genuínos orientadores da opinião pública, pois só com independência será a sua colaboração proveitosa para a grandeza do país. Tendes toda a nossa confiança para continuar orientando o* Diário de Notícias, *com as únicas preocupações dos legítimos interesses do Rio Grande e do Brasil".*[34]

O *Diário* trata de recuperar o tempo perdido. E uma das armas são as promoções e o patrocínio de eventos. Um deles é o curioso campeonato de "Yo-Yo", em conjunto com uma empresa japonesa – Hachiya, Irmão & Cia. – precedido de demonstrações públicas e gratuitas do campeão carioca, especialmente contratado. Enquanto isso, um anúncio da "Policlínica do *Diário de Notícias*" informava a distribuição de quinhentos cartões à população carente, dando-lhe oportunidade de buscar o socorro de médicos conveniados em várias especialidades.

No campo político, o ano de 33 é marcado pela realização de elei-

TERCEIRA SECÇÃO

DIARIO DE NOTICIAS

SUPLEMENTO EM ROTOGRAVURA

Religião e arte

A rotogravura acentuava a qualidade de impressão.

ções para as Assembléias Constituintes. No Legislativo gaúcho, é eleito deputado, pela Frente Única, o jornalista Edgar Luiz Schneider, ex-diretor do *Diário de Notícias*. Também em maio, é concedida anistia aos revolucionários de 32, e, no Rio Grande do Sul, Flores da Cunha autoriza o retorno dos exilados gaúchos às suas casas, entre eles outro ex-diretor de redação do *Diário de Notícias*, Fausto de Freitas e Castro.

No ano seguinte, Getúlio Vargas é eleito presidente da República, em eleições indiretas – 175 votos a 59 dados a Borges de Medeiros, candidato da oposição –, e o *Diário* termina 1934 com dois anúncios aos seus leitores.

Um é "o maior concurso realizado no Rio Grande do Sul" – com a distribuição de prêmios para os assinantes, entre eles uma casa "na aprazível Vila Cristal", para o primeiro colocado, e "um magnífico automóvel Standard Coche Chevrolet", para o segundo.

Outro é a realização de um sonho de Ernesto Corrêa, "nivelando a imprensa do Rio Grande do Sul com a grande imprensa mundial": o primeiro suplemento em rotogravura* publicado em Porto Alegre. Encartado

* Processo de heliogravura que utiliza como matriz um cilindro metálico revestido de cobre, em cuja superfície são gravadas, geralmente em retícula, as imagens destinadas à impressão.

na edição de domingo, 4 de novembro – com uma tiragem de quarenta mil exemplares, aferida por autoridades e empresários convidados –, o caderno de oito páginas chega fartamente ilustrado com fotos de atores de cinema, personalidades da sociedade gaúcha e paisagens de Porto Alegre. Além de muitos anúncios. O caderno circula em todos os domingos dos meses de novembro e dezembro, e a edição completa – de quarenta páginas em três seções – é vendida sem acréscimo, pelo preço normal de trezentos réis. É o terceiro jornal do país a publicar suplementos em rotogravura, depois de *O Jornal* e do *Estado de S. Paulo.*

> "...*O* Diário de Notícias *alcança este marco do progresso numa quadra universalmente reconhecida como das mais críticas e tormentosas na economia mundial. Queremos com isto evidenciar que não somos apenas uma organização com vitalidade bastante para arrostar e vencer a crise (...) como ainda capaz de prosperar e evoluir, dela emergindo em notório florescimento...*"

Não é de estranhar que Ernesto Corrêa agradeça, com elegância e com reserva, o convite feito a ele por Breno Caldas para que se transferisse para o *Correio do Povo*. Foi, com certeza, um dos raros jornalistas a recusar a oportunidade de se transferir para a então sólida Caldas Júnior. Breno diria depois sobre Ernesto: "Nos entendíamos muito bem, inclusive no silêncio".[35]

Ernesto é eleito diretor. Uma escolha natural

Há um clima de euforia no Rio Grande no início de 1935, ano do centenário da Revolução Farroupilha. A guerra capaz de conflagrar o mundo ainda não se avista no horizonte. E o barco do *Diário de Notícias,* passados dez anos da fundação, navega em águas tranqüilas.

Ernesto Corrêa completaria, em setembro, trinta anos de idade. Com três filhos – Lia, Paloca e Helena – e a situação econômica revitalizada, só o preocupa a saúde frágil da esposa, Maria Izabel.

A lei de imprensa exige, à época, que os diretores das empresas jornalísticas residam no local em que o veículo é editado. Sabóia de Medeiros deixa, por isso, o cargo de diretor de redação e vai para o Rio de Janeiro. Ernesto Corrêa é o nome escolhido para sucedê-lo. Uma escalada natural. A assembléia de acionistas apenas cumpre a formalidade.

A notícia é tímida, bem ao feitio do eleito:

> *"...O novo diretor do* Diário de Notícias *é um profissional cujo nome há muito se impôs pela capacidade aos meios jornalísticos porto-alegrenses e que nos dispensa apresentação. Tendo ingressado nesta folha como simples repórter, foi ele galgando rapidamente todos os postos até atingir a secretaria do jornal, de onde o foi tirar a assembléia para, numa justa promoção, elevá-lo agora à direção. O sr. Ernesto Corrêa foi ontem mesmo empossado nas suas novas funções".*[36]

A expectativa de Ernesto era ser o escolhido. Mas, habituado às idas e vindas de Chateaubriand e à política de bastidores da empresa, aguardou, cético, a assembléia geral. Só depois do abraço arrebatado de Sabóia é que ele apanhou o telefone e fez a ligação. Comunicou a boa nova à mulher e depois quis falar com Paulo, o varão entre os três filhos.

Aos cinco anos, Paloca ouviu a notícia:

– Pai, eu *ovo* mas não *ovo*.

Lia o socorreu:

Ernesto Corrêa, em seu gabinete de diretor do Diário de Notícias.

– Papai, ele quer dizer que ouve mas não entende. E eu quero te dizer uma coisa: nós estamos muito felizes.

Ao chegar em casa, apesar do horário tardio, estavam todos à sua espera. Ernesto, Maria Izabel e os três filhos moravam agora num casarão da Duque de Caxias. Em meio ao jantar, Ernesto pediu à mulher que deixasse de lecionar, fosse cuidar da saúde e dos filhos. O salário de diretor era suficiente. E falou sobre a família ampliada: queria mais filhos homens.

Algum tempo depois, observou, preocupado, tremores nas mãos e pés da mulher. Os médicos logo identificaram: tratava-se da Doença de São Guido. E explicaram a Ernesto ser aquela uma doença neurológica, com o paciente tendo movimentos involuntários, sem controle no nível consciente. Os tremores, regra geral, se acentuam em situações de ansiedade. No futuro, Maria Izabel queixar-se-ia para a filha mais velha: deixar o trabalho fora uma atitude impensada.

Três meses mais tarde, um anúncio bem menos discreto do que aquele da posse. O alarde se justifica. A recontratação da United Press é um passo maiúsculo para qualificar o jornal: é a agência de notícias do *The New York Times*, do *Daily Telegraph*, de Londres, do *La Prensa*, de Buenos Aires, "além de mais de 1.500 outros periódicos distribuídos pelos cinco continentes".[37] Já fora a agência noticiosa do *Diário*, logo após a fundação, em 1925, até este ser integrado à cadeia dos Associados. Então, durante o contrato de experiência, Ernesto Corrêa comparou, dia a dia, o material enviado pela United Press com aquele fornecido pela Associated Press, a agência do *Correio do Povo*. E não teve dúvidas: a UP era mais dinâmica, ágil e agressiva, bem ao gosto do seu comando e do público do *Diário de Notícias*.

Para o jornalismo do Rio Grande do Sul, um fato relevante: nasce, em dezembro de 1935, a Associação Rio-Grandense de Imprensa. Erico Verissimo é o primeiro presidente, Ernesto Corrêa e Breno Caldas são eleitos membros do Conselho Fiscal.

Em outubro, com o avanço das tropas italianas sobre a África Oriental, a manchete de capa anuncia a Segunda Guerra Mundial: *Está virtualmente declarada a Guerra.*[38] A partir daí e no decurso de muitos meses, o conflito é destaque permanente na primeira página do *Diário de Notícias*. O jornalista J. J. Monteiro recorda: Ernesto Corrêa tinha obsessão pelo tema. Com um enorme mapa da Europa sobre as mesas dos redatores, ele se dedicava durante horas intermináveis a imaginar os movimentos das tropas em guerra. E as noticiava, confiante na intuição. Com um fantástico índice de acertos para o desespero dos editores do *Correio do Povo*.

Em 1936, um novo "serviço fotográfico" é colocado à disposição dos leitores: os jornais dos Associados assinam com a Wide World Photo, de Paris, contrato para o fornecimento de serviço até então inédito na imprensa brasileira, através do qual "três dias depois de um acontecimento em qualquer continente, seja um crime, um desastre, a posse de um ministro, uma festa, uma greve, dados os recursos de aparelhagem e de pessoal da agência e a rapidez moderna das comunicações, inclusive a telefoto, possamos estampar o flagrante".[39]

Ernesto Corrêa só não se conformava com uma determinação de Chateaubriand aos jornais da cadeia dos Associados: a primeira página deveria ser dedicada toda ela ao noticiário internacional. A efervescência política do país, na década de 30, era inquietante. Ernesto entendia que os fatos nacionais mereciam maior destaque e decidiu, em certo momento, inverter a numeração das páginas. Ele mesmo explicou, já no fim da vida: "A primeira ficava sendo a última, a segunda, a penúltima, e assim por diante".[40] Cumpria-se a vontade do chefe, mas a prioridade era para a vida brasileira. A experiência teve curta duração. Logo Chatô se deu conta do expediente e determinou que tudo voltasse a ser como dantes.

No almoço daquele dia de inverno, Ernesto não percebe o desconforto no rosto crispado de Maria Izabel. No final da tarde, após um telefonema, ele espalha instruções precisas aos redatores, vai até o casarão da Duque, apanha Maria Izabel e a leva às pressas ao hospital. Nascia o quarto filho, Fernando Ernesto Corrêa.[41] Era julho.

Doze meses depois, uma data para a história da imprensa gaúcha: Ernesto, orgulhoso, vai à sede da ARI subscrever o convênio do qual fora um dos mentores intelectuais, estabelecendo regras rígidas de comportamento editorial e gerencial, a serem observadas pelos jornais de Porto Alegre, capitaneados pelo *Correio* e o *Diário.*

Os efeitos da guerra faziam-se sentir com rigor na área gráfica, com a elevação espantosa dos custos dos insumos, em especial do papel importado. Para "enfrentar a crise", a Associação Rio-Grandense de Imprensa reuniu diretores e gerentes para "em conjunto e harmonicamente"[42] analisarem providências possíveis e comuns.

Resultado: foram elevadas e unificadas as tabelas de preços de assinaturas; proibida a concessão de quaisquer descontos e limitado a 20% o valor máximo da comissão de agentes e angariadores.

À medida que as discussões se sucediam, o convênio foi ampliado e transformou-se, na prática, numa espécie de Código para a imprensa de então, dividida em três categorias: os matutinos em língua nacional – *Diário* e *Correio*; os vespertinos em língua nacional – *A Federação, Folha da Tarde* e *Jornal da Noite,* e os matutinos e vespertinos em língua alemã – *Deutsches Zeitung* e *Deutsches Volksblatt,* ambos editados em Porto Alegre.

Assim, "para economia de espaço", convencionaram:

> – abolir, no noticiário de rádio, referências a programas oferecidos por anunciantes, como é o caso das firmas comerciais e de "produtos com os quais são comumentes designados os quartos de hora das estações transmissoras";
> – abolir a publicação na íntegra de discursos, conferências, memoriais, processos forenses, atas de sessões e ensaios técnicos;
> – observar igual critério em relação ao noticiário esportivo, "notas oficiais dos clubes e entidades, atas das sessões e longos comunicados";
> – não exceder os limites estipulados para o número de páginas, relacionadas ao volume de publicidade: até três páginas de anúncios, edição de 12 páginas; 4 a 5 de anúncios, edição de 14 páginas e assim sucessivamente, até atingir o volume de 20 páginas de anúncios e uma edição de 40 páginas.

Estabeleceu-se, ainda, que os dois jornais seriam remetidos aos agentes de venda avulsa do interior do estado "somente em conta firme, sem devolução de encalhe".

Não divulgar suicídios. Uma das primeiras lições

Uma das primeiras lições que aprendi ao ingressar no *Diário de Notícias* foi a norma de não divulgar suicídios, evitando-se que a notícia fosse estímulo a suicidas potenciais.

A origem da convenção não é identificável, mas há continuadas versões a indicar a construção do viaduto Otávio Rocha, no início da década de 30, como o *leitmotiv*. Os cronistas registraram repetidos episódios de jovens ensimesmados, nos altos da Duque, a contemplar o Guaíba e a Zona Sul da cidade, para depois se jogar em vôos fugidios.

A idéia torna-se regra escrita no convênio assinado em 1937:

> *"O* Correio do Povo *e o* Diário de Notícias *revigoram e mantêm o compromisso tomado com a Sociedade Rio-Grandense de Educação quanto à não publicação de suicídios e, bem assim, ampliam essa medida obrigando-se também a não divulgar os crimes que envolvam crianças ou atentem contra a honra e o pudor de menores".*

Na assinatura do pacto, os jornalistas fazem questão de registrar o clima de boa vontade dos dirigentes dos mais importantes veículos da imprensa gaúcha.

Um contraste com as agruras da política. Naquela hora, somente a guerra distante irmana os brasileiros. Flores da Cunha arma a Brigada Militar para a resistência ao Governo Provisório e ao golpe de 37. Mas Getúlio Vargas havia tecido com mãos de artífice a teia de suas ambições. Tem o país sob controle, não se intimida. Em novembro, implanta o Estado Novo e intervém no governo gaúcho. Flores da Cunha, na antevéspera, vai exilar-se em Montevidéu. Novos tempos, ainda mais difíceis para a prática do jornalismo.

Chateaubriand manda um recado aos seus subordinados: calma com o ditador. Em novembro, o *Diário de Notícias* publica a íntegra do texto da nova Constituição, três páginas inteiras.[43]

Não demora e Chateaubriand adere ao Estado Novo, "de corpo e alma" e "com impressionante rapidez e fidelidade nunca vista".[44] Em seus artigos, a certa altura distribuídos pelo DIP[45] a todo o país, como propaganda do regime ditatorial, Chatô passa a chamar Getúlio Vargas de "Chefe".

No ano seguinte, quando se frustra a tentativa dos integralistas de tomar o Palácio Guanabara, o *Diário* lança edição extra, à tarde. Uma foto de Getúlio e a manchete exaltadora: "Inteiramente debelada a Rebelião Integralista".[46] Edição extra é uma prática muito cara a Ernesto Corrêa; no dia seguinte ele a festeja: "Sucesso da nossa edição especial de ontem". Com direito a foto dos populares à espera da edição anunciada. *Diário* e *Correio*, a esse tempo, tinham quadros-negros junto às suas portas de entrada. E a cada fato novo, o redator encarregado tratava logo de colocar um aviso, escrito com giz.

Ernesto adoece gravemente. Da cama, comanda o jornal

Os tempos são tormentosos, a tensão cresce nas Redações, e o diretor do *Diário de Notícias* começa a sentir dores no peito à hora do entardecer. Os analgésicos não fazem efeito, ele resiste à idéia de consultar o médico. A ardência e a pressão no tórax são continuadas. Também a respiração fica difícil. Calafrios, febre. Depois de muitos apelos, ele procura socorro. Os médicos concluem: trata-se de uma pericardite. Com o diagnóstico, a recomendação de um indispensável e rigoroso repouso.

Mas havia a guerra e a situação política do país. Ernesto não aceita a idéia de ficar distante dos acontecimentos e do comando da redação. Decide trabalhar em casa. O jornalista Alberto André, à época redator da agência United Press, disse ter recebido orientação para, no final do expediente, entregar o último informativo na casa do diretor. Uma pequena residência, no número 504 da rua Fernando Machado, até hoje existente: "Compareci e fui levado ao quarto do colega, onde os originais estavam distribuídos em sua cama, máquina de escrever ao lado, muito papel e um ajudante. Ernesto estava preparando a primeira página do jornal com os acontecimentos da guerra...".

Alguns dias depois, no final de 1938, a família é avisada: o chefe dos Associados vem a Porto Alegre visitar o parceiro e amigo. Todos se alegram. Afinal, alguém com autoridade para determinar que as recomendações médicas fossem atendidas.

Mas o que esperar do encontro entre um obstinado como Ernesto Corrêa e um megalomaníaco como Chateaubriand?

A solução encontrada por ambos é transferir Ernesto e a família para o prédio onde funciona o jornal, na praça da Alfândega. O segundo andar, utilizado como depósito, sofre, às pressas, adaptações e, com isso, o diretor pode ficar a alguns metros da redação, localizada no andar abaixo. Continua na cama, para amenizar a dor, mas agora dá ordens, distribui tarefas, cobra trabalho, não abre mão de desenhar, ele mesmo, de bruços, a primeira página.

É quando chega uma notícia capaz de sensibilizar todo o mundo religioso: o papa Pio XI está com a saúde abalada. Ernesto Corrêa pressente a grande notícia e faz plantões na madrugada. Deitado, sempre. Mas com os olhos estalados.

As dores parecem diminuir naquela manhã. Ernesto abre um imenso sorriso, ao comparar as duas primeiras páginas.

Manchete do *Diário*:

FALECEU ÀS 5,31 HORAS DA MANHÃ DE HOJE O PAPA PIO XI[47]

Manchete do *Correio do Povo*:

INFORMAM QUE SE ESTARIA ESBOÇANDO UM ROMPIMENTO ENTRE O GAL. FRANCO E MUSSOLINI

E uma pequena nota, no canto, à esquerda, da primeira página do róseo: "Tornou a agravar-se o estado de saúde do papa, criando preocupação".

Ernesto vibra. Um "furo" incrível. Quer levantar-se, ir ao Largo dos Medeiros, brindar e deliciar-se com a reação dos leitores. É uma das poucas vezes, no entanto, em que Maria Izabel fala com energia. Ernesto estranha, mas obedece. Comemora o feito na cama.

Aos poucos, a pericardite é controlada, as dores cessam. O diretor agora só precisa descer alguns degraus para estar no palco buliçoso da redação. É onde gosta de estar, ali ele é o regente da orquestra.

Ernesto concorda com a iniciativa da editoria de esportes: chegou a hora de investir no futebol. O Brasil teve uma participação expressiva na Copa do Mundo do ano anterior, na França – terceiro lugar –, aquele era o esporte do futuro, começava a ganhar força cada vez maior em todas as camadas da população. A inauguração dos refletores do Estádio Olímpico serve de pretexto: é instituída a Copa *Diário de Notícias*, disputada em três Grenais sucessivos. O primeiro, em julho,[48] termina com um empate: 3x3. O segundo, em agosto, é uma goleada do Internacional (5x2); o último, em outubro, quem vence é o Grêmio (3x2). É preciso um jogo de desempate. "Jogando com mais 'sangue', os colorados triunfaram por 2 a 1 sobre o bicampeão."[49]

Menos de um ano depois, em julho de 1940, uma nova investida: "o árbitro mais famoso do Brasil a serviço do *Diário de Notícias*". O jornal publica a coluna "Pergunte o que quiser sobre futebol", assinada pelo juiz de futebol Virgílio Fedrighi. A contratação tem direito a foto na contracapa: Virgílio conversa e esclarece dúvidas dos redatores esportivos.

Em julho, o anúncio: "Finalmente amanhã será satisfeita a espera dos nossos leitores de todas as idades".[50] E a partir do edição seguinte, o jornal publica, na capa e com destaque, tiras de Mandrake, Pato Donald, Popeye e, aos domingos, Fantasma. Em novembro, é publicado um suplemento especial de oito páginas sobre os cinqüenta anos da Proclamação da República: "A Idéia Republicana no Brasil"[51], e, em dezem-

Na Confeitaria Rocco, homenagem a Luiz Corrêa, diplomata e político, irmão de Ernesto Corrêa. Sentados, da esquerda para a direita, Afonso Teixeira Neto, presidente da Federação Rio-grandense de Futebol, Cícero Soares, Ernesto e Luiz Corrêa, Say Marques, J. Thadeo Onar e Carlos Corleto. Em pé, entre outros, Lauro Porto, Luiz Germont, Renato Mótolla, Alberto André e Mário Everard.

bro, nasce, para publicação aos domingos,[52] um suplemento feminino da cadeia dos Associados. Circula, além de no *Diário*, em cinco outros jornais: *O Jornal*, do Rio de Janeiro, o *Diário de São Paulo*, *O Diário*, de Santos, *Estado de Minas* e *Diário de Pernambuco*. No suplemento, dicas de culinária, corte de cabelo, moda, beleza e histórias em quadrinhos.

Em meio a tantas novidades e à liderança crescente do *Diário de Notícias*, nasce[53] Flávio Antônio, o Faveco, quinto e último filho de Ernesto Corrêa. No prédio da praça da Alfândega, o bebê e as demais crianças são obrigados a dormir no embalo e nos resmungos da rotativa localizada no térreo. Maria Izabel exige de Ernesto nova morada.

No início de 1940, a família transfere-se para uma casa confortável no bairro Menino Deus. E logo Ernesto passa a viver um drama: o filho Fernando Ernesto adoece com extrema gravidade. As dores provocam vômitos e choro. A cabeça fica imóvel. Um grupo de médicos pediatras, liderados por Florêncio Igartua, perde as esperanças em certo momento: a meningite paralisa o menino, as reações aos estímulos escasseiam a cada dia.

Foi a primeira vez que a filha mais velha, Lia, viu o pai em lágrimas. E mais: Ernesto mandou que colocassem placas de silêncio em toda a quadra ao redor do prédio durante dois meses intermináveis.

Tia Fifina passa os dias à beira da cama da criança, praticamente transfere residência para a casa da irmã. Ela e o marido, Jones Duarte, não têm filhos, se apegam a Fernando Ernesto de forma definitiva.

Maria Izabel vai à Igreja do Menino Deus todas as semanas buscar água benta para o filho. A família e os vizinhos rezam, fazem promessas, e acaba se atribuindo a Santo Antônio o milagre do menino revigorado, sem seqüelas: Fernando Ernesto deve andar um ano inteiro com sandálias, hábito marrom e cinto branco.

E ele cumpre a promessa, embora a resistência do pai. Sempre que enxerga a criança, esbraveja:

– Quem fez a promessa que vista Santo Antônio.

Ernesto era católico fervoroso, de ir à missa todos os domingos, ele, a mulher e os filhos. Mas tantas doenças fizeram-no esmorecer. O primo, Vicente Scherer, deu-lhe uma Bíblia de presente. Ele a leu e nunca mais quis entrar em igreja para rezar.

Fernando Ernesto chamava Fifina e Jones de madrinha e vovô, e eles o queriam e o tratavam como filho. Quando o garoto melhorou, não sossegaram enquanto ele não foi morar com o casal. Fernando Ernesto tinha a cama sempre pronta, à sua espera, na casa dos pais, e um quarto especial na casa dos tios.

O jornalista Paulo Gasparotto morava na época do outro lado da rua:

– Minhas primeiras lembranças da família Corrêa são do início da década de 40, quando Maria e Ernesto alugaram uma das moradas antigas da avenida Getúlio Vargas. A casa tinha um grande jardim, com uma imensa magnólia no centro e um caramanchão.

"Maria Corrêa era bonitona, simpática e falante. As crianças, bonitas, especialmente a Helena, cujo cabelo tinha uma tonalidade avermelhada que chamava a atenção. Ernesto era alinhado, vestia muito bem. Eu gostava de ficar com Lia e Helena, que eram queridíssimas. Havia uma diferença de idade entre os garotos e eu, dois eram mais velhos e o Flávio era mais moço.

"Mais recentemente, avistava Ernesto Corrêa na residência do Fernando Ernesto e do Faveco. Envelhecido, fechado em si mesmo, porém atuante e com opiniões firmes. Deixara os antigos ternos e usava roupas esportivas. Às vezes, fico conjeturando como seria a imprensa daqueles primeiros tempos. Breno Caldas, o supremo senhor, Ernesto Corrêa aparando as loucuras do Assis Chateaubriand."

A enchente de 41. *Diário* e *Correio*, inundados, deixam de circular

Somente a extrema dedicação ao jornal faz com que Ernesto Corrêa consiga eclipsar os problemas pessoais e familiares. E 1940 é um ano importante. A censura aperta o cerco sobre a imprensa, a polícia invade o jornal *O Estado de S. Paulo*, Getúlio institui o salário mínimo, o *Mágico de Oz* é o destaque nos cinemas, a guerra é distante e comovedora. O *Diário* anuncia, em maio: "Em virtude da extrema gravidade da situação européia, daremos amanhã, segunda-feira, uma edição extraordinária, à tarde, a fim de que os nossos leitores não fiquem sem notícias da guerra durante 48 horas".[54] E o sucesso é tanto que as edições extras, às segundas-feiras, passam a ser habituais, com oito páginas, em média, sete delas dedicadas à guerra e uma, aos esportes, com os resultados das competições do domingo.

Em junho, são inauguradas, com solenidade, novas instalações, nos setores de radiotelegrafia, serra elétrica* e gravura. E o Jornal Falado do *Diário de Notícias*, às 23 horas, todas as noites, na Rádio Farroupilha, torna-se sucesso de audiência.

---

* Equipamento utilizado para o corte dos clichês.

O Bicentenário da Colonização de Porto Alegre é prestigiado: o jornal edita quatro suplementos, com uma "verdadeira síntese da evolução da metrópole gaúcha nestes dois séculos", em todos os setores, da economia às artes. Um time com os melhores nomes da intelectualidade gaúcha é selecionado para a tarefa: Ângelo Guido, Coelho de Souza, Dante de Laitano, Darci Azambuja, Erico Verissimo, Limeira Tejo, Mário Tota, Mem de Sá, Moisés Vellinho, Valter Spalding e Viana Moog, entre outros.[55]

...E o Vento Levou é a estréia daquele final do ano.

Os ventos do sul ajudam a represar as águas do Guaíba quando volta o sol, depois de 22 dias de chuvas continuadas. Porto Alegre assiste, em 1941, à maior e mais devastadora enchente da sua história. O *Diário* resiste. Mune-se de todos os recursos existentes, inclusive tratores emprestados por um circo estrangeiro instalado na capital gaúcha. Graças a esse equipamento, a água é retirada dos porões, e o jornal consegue chegar aos leitores até o dia 6 de maio. Na edição dessa data, informa que o *Correio do Povo* e o *Neue Deutsches Zeitung* já haviam deixado de circular e adverte:

> *"À hora em que encerrávamos os serviços, as águas começavam a vencer o fio do cordão da calçada do edifício do* Diário de Notícias, *sendo, de conseguinte, problemática a circulação do nosso jornal amanhã, caso as águas continuem subindo no mesmo ritmo até agora verificado."*

Os jornais só voltam no dia 11 de maio. *Diário* e *Correio* mantêm suas primeiras páginas ocupadas com o noticiário internacional, em função da guerra. Mas as contracapas e várias páginas internas são todas dedicadas a fotos e ao noticiário sobre as cheias.

Em 42, o Brasil primeiro corta relações com Alemanha e Itália[56] e, mais tarde, declara guerra às duas potências.[57] Getúlio também decreta estado de guerra em todo o país. E, em outubro, uma reforma monetária institui o cruzeiro para substituir o mil-réis.

Sobra dinheiro nos cofres do *Diário*, apesar de tudo. Em 1° de maio de 1943, quando Getúlio cria a CLT, os Diários Associados incorporam à rede a Rádio Farroupilha, fundada em 1935. Um canal exclusivo para as Américas "e uma instituição gaúcha, tal qual a República do Piratini, o general Osório ou o rio Guaíba", conforme Chateaubriand.[58]

Com as reservas do jornal gaúcho, os Associados também compram *A Vanguarda*, de Belém. "Precisamos ocupar a Amazônia", é a ordem do comando da empresa. Para tanto, logo depois é relançado o histórico *A Província do Pará*. Frederico Barata justifica em discurso:

> *"Ganhamos dinheiro com alguns jornais em estados prósperos e ricos, mas em muitos outros, que não estão nas mesmas condições, mantemos bravamente as nossas folhas para servir e perder, construindo e ampliando a grande cadeia que faz a nossa voz ouvida em todos os cantos da Pátria. Somos como uma família cujos membros se ajudam mutuamente, sem egoísmos – os fortes sustentando os fracos".*[59]

DIARIO DE NOTICIAS

ANO XXI — PORTO ALEGRE, DOMINGO, 5 DE AGOSTO DE 1945 — N.º 130

ROXIMA CONFERENCIA DOS 3 GRANDES SERA' EM WASHINGTON

NOTA DE POTSDAM E O FUTURO EDIATO DA ALEMANHA

FRANCO PARECE DISPOSTO AO ISOLAMENTO

O EX-PRINCIPE DE GALES DESMENTE A PIERRE LAVAL

O TESTAMENTO POLITICO DE MUSSOLINI

A DERROTA DA AFRICA E A "TRAIÇÃO" DA FRANÇA

A idéia é essa em relação à guerra: Alemanha e Itália são os fortes. E agressores. O *Diário* toma partido, uma postura geradora do ódio que vai explodir dois anos depois. Junto com a Rádio Farroupilha, o jornal promove "a mais nobre e mais empolgante campanha cívica realizada no Rio Grande do Sul", uma subscrição popular para a compra do bombardeiro *Itagiba*. Em setembro, anuncia-se, na primeira página, o êxito da campanha, desencadeada "na hora amarga da dúvida e do perigo, quando os corsários nazifascistas assassinavam brasileiros indefesos e punham a pique mercantes nacionais pacíficos em águas territoriais, violando brutalmente nossa soberania de nação livre". O anúncio é um convite para os rio-grandenses assistirem, no dia seguinte, ao batismo da nova unidade da "Esquadrilha da Vitória", e sua incorporação oficial à Força Aérea Brasileira.[60]

A grande briga pública entre os dois jornais

No início de 1944, surge uma das raras brigas públicas entre o *Diário* e o *Correio*. Tudo começa com a publicação, pelo *Correio*, de artigos do interventor federal em Pernambuco, Agamenon Magalhães, com críticas ao poder da cadeia dos Associados. No primeiro texto, "Contra o pior dos trustes", recortado, aliás, do jornal *A Folha*, de Recife, Agamenon escreve:

> *"...Todas as nações defendem-se contra os 'trustes' de jornais e de rádios, porque eles representam o capitalismo internacional na sua forma mais perigosa. O exemplo da França é de hoje. Foi através da imprensa e do rádio da França que os trustes do ferro, do aço, do alumínio e das fábricas destruíram os sentimentos nacionais. A falta da aviação e das armas motorizadas no exército francês foi a causa da derrocada. Também na França os jornais associados dos 'trustes' falavam em liberdade, democracia e fraternidade...".*

Em outro artigo, Agamenon proclama:

> *"...O povo de Pernambuco sente mais do que qualquer outro os perigos que ameaçam o Brasil e a sua unidade. Ele está vigilante. O truste dos Diários Associados será varrido de nossas plagas. O truste e as tetas que o alimentam...".*[61]

O líder católico Adroaldo Mesquita da Costa parabeniza Agamenon "pelos vibrantes artigos contra a vergonhosa exploração dos trustes de jornais e rádios, camuflados em defesa dos interesses nacionais".

A forma como são publicados – à maneira de notícia, com manchetes na contracapa – é provocativa, e a resposta vem num texto forte, com o título "Duas palavras ao Rio Grande", no qual o *Correio* é designado, desde logo, como "feudo de uma família, enquistado estranhamente no nosso corpo social", numa alusão ao fato de Caldas Júnior ser oriundo de Sergipe.

> *"...Tínhamos, pois, que ser terrivelmente odiados. Surgimos no seu arraial com nova bandeira. O eco dos empolgantes movimentos de opinião que o* Diário de Notícias *orientou, conduzindo ao êxito – a revolução triunfante do Estado Nacional, a campanha*

de aviação, o bombardeiro Itagiba *e agora a cruzada da Redenção da Criança – havia de enraivecer a grei cor-de-rosa, levando à degradação o concorrente solerte e desleal".*

"O que o Correio do Povo *estava fazendo, acocorando-se à sombra alheia para destilar sua peçonha contra um colega que sempre timbrou em respeitar a primeira das virtudes do jornalismo – a ética – e sem a qual a nobre profissão da imprensa mergulha nos lodaçais mais repugnantes – era por nós esperado. Estranhávamos, apenas, demorasse tanto. Tinha que, mais uma vez, cumprir a sua sina..."*

No final, o artigo é radical e impiedoso com Adroaldo Mesquita da Costa, ao lembrar sua participação no episódio que redundou na renúncia de Pedro Moura, em 1932:

"...E, agora, Adroaldo Mesquita da Costa.
Devoto genuflexo e infalível das missas dominicais, comungante invariável da mesa eucarística, o homem cujos casacos levam um reforço especial na lapela esquerda a fim de suportarem melhor o mea-culpa – onze anos não lhe abateram o ódio maligno de salteador malsucedido.
Assaltante do Diário de Notícias *em 1932, como faria qualquer Virgulino – batido em sua vergonhosa empreitada de advogado inescrupuloso – quis o monge suspeitíssimo da rua Duque, tentando miserável desforra, secundar a matreira raposa da rua dos Andradas...".*[62]

A resposta do *Correio do Povo*, dois dias depois, com o título "Advertência ao Rio Grande", não é menos vigorosa:

"Em linguagem à altura de sua índole e seu caráter, os agentes locais da 'cadeia' dos Diários Associados investiram, anteontem, de maneira furiosa e virulenta, contra esta folha e o seu diretor...
...Temos, porém – e é isso que nos traz aqui – o dever de fazer uma advertência ao Rio Grande. Com dinheiro tirado ninguém sabe de onde, a famigerada 'cadeia' já adquiriu em nosso Estado, por elevadas somas, duas estações de rádio – a Farroupilha e a Difusora – e dois jornais – o Diário de Notícias, *desta capital, e* A Razão, *de Santa Maria. A febre de compras, que aliás se estende por todo o país, não se deteve, porém, aí. Ultimamente, agentes camuflados*

bateram também à nossa porta... Tiveram, naturalmente, a resposta que mereciam....

...Meditem os rio-grandenses sobre o triste destino que nos aguardaria se a nefasta súcia encadeada nos envolvesse em sua insidiosa e terrível engrenagem, asfixiando-nos com o pior e mais nocivo de todos os monopólios: o dos meios de divulgação...".

O *Correio* promete não voltar ao assunto. Mas o *Diário* retorna, já no dia seguinte.[63] E utiliza para isso toda a contracapa, ilustrada com a reprodução de exemplares de ambos os jornais para mostrar a diferença de tratamento dado a um episódio vital para o Brasil durante a Segunda Guerra:

"...A 20 de fevereiro de 1942, o nazista infame afundava covardemente o primeiro barco brasileiro, o Buarque. *Toda a nação vibrou de indignação ante a insólita agressão não provocada dos piratas traiçoeiros...*

...Só o Correio *ficou impassível. Diante da onda de justa e insopitável revolta do civismo indígena, o órgão que se diz paladino das aspirações coletivas e que teve a petulância de lançar uma 'advertência ao Rio Grande', fez todos os malabarismos de paginação possíveis, a fim de subtrair o fato à atenção dos seus leitores, e, o que é pior, nos seus títulos e subtítulos (em manchete nem se fala!), tudo fez para tirar qualquer significação ao gravíssimo atentado à soberania e à dignidade do Brasil.*

E nesse dia, o Correio, *no exercício pleno de sua função de 'órgão dos interesses gerais', escrevia um rendilhado editorial, discutindo o 'Tratamento fiscal da exportação...'".*

E mais adiante:

"...Apanhado nas malhas de acusações formais, encontrou o Correio do Povo *apenas uma escapatória, lançando aos ares uma interrogação infamante: de onde surgiu o dinheiro com que foram adquiridas a Rádio Farroupilha, a Rádio Difusora e* A Razão, *de Santa Maria?...*

...Ouça, pois, o Rio Grande, que nos lê e nos honra com sua preferência, o que vamos dizer aos nossos malévolos detratores:

1– Os quatro milhões de cruzeiros com que compramos a Rádio Farroupilha, tomamo-los por empréstimo ao Banco do Distrito Federal – que ainda este mês inaugurará sua filial em Porto Ale-

gre –, com a garantia pessoal do velho amigo do sr. Assis Chateaubriand, o grande industrial Severino Pereira;
2– Os três milhões e duzentos mil cruzeiros, que pagamos pela Rádio Difusora, foram-nos emprestados pelo Banco Comercial do Estado de São Paulo, estabelecimento com o qual os Diários Associados negociam por mais de vinte anos;
3– A compra de A Razão, *de Santa Maria, foi feita mediante empréstimo na Cia. União Mercantil Financial com a garantia do sr. Frederico Dahne, amigo pessoal do sr. Assis Chateaubriand..."*

E, no final:

"...Porque jornalismo é sacerdócio, jornalismo é desprendimento, jornalismo é dedicação, é amor e veneração por sua terra, sua história, seus sentimentos, sua família, sua economia. Jornalismo não é instrumento de prepotências, nem de lucro. Jornalismo é ideal, é altruísmo, é grandeza d'alma, é renúncia. Jornalismo é incompatível com a ânsia dos ganhos desmedidos..."

O ano termina com a volta de promoções para leitores à primeira página. Uma assinatura feita no final de novembro, para o ano seguinte, daria direito ao recebimento gratuito do jornal durante todo o mês de dezembro.

Também ajuda a multiplicar o número de leitores e assinantes um novo folhetim: *Meu Destino é Pecar*, de Suzana Flag, pseudônimo de Nélson Rodrigues. Já acontecera isso no Rio de Janeiro, em *O Jornal*. O folhetim de Nélson havia feito crescer de forma espantosa a raquítica tiragem do jornal líder da "cadeia".

O fim da Grande Guerra. E a queda de Getúlio Vargas

O ano de 1945 é marcado pela rendição da Alemanha e, no Brasil, pela campanha pró-redemocratização a que os jornais Associados se dedicam com todo o empenho. Em janeiro, o 1° Congresso Brasileiro de Escritores reclama "completa liberdade de expressão" e diretas para presidente. Em março, os jornalistas lançam um manifesto em favor da democracia, e os artistas plásticos se solidarizam com as decisões do Congresso de Escritores.

Resplandece a Aurora De Um Novo Mundo De Fraternidade

ARTÍFICE DA VITÓRIA

HERÓI DA RESISTÊNCIA

PAZ

ERGAMOS NOSSA PRECE AO DEUS DOS EXÉRCITOS Pela Paz Entre Os Homens

PAGARÃO CARO O SANGUE QUE FIZERAM JORRAR: Implacavel Ajuste Final

DIARIO DE NOTICIAS

EDIÇÃO DA PAZ

PRECISAMENTE A'S 9 HS. 9 (Brasil)

Em maio, enquanto Getúlio tentava manter-se no governo, chega ao fim a Segunda Guerra Mundial. Ernesto, apreensivo, vê o ódio traduzido em fogueiras acesas nas ruas, com exemplares em tiras do *Diário de Notícias.* Inconformados com a derrota, os "Filhos de Hitler" manifestam seu repúdio às críticas feitas aos fascistas e nazistas. A edição extra comemorativa à vitória aliada, tão logo chegou às ruas, foi utilizada para alimentar o fogo da intolerância aceso à frente do jornal. Jovens bêbados dançavam em torno dele, aos gritos de "abaixo os judeus". O andar térreo foi apedrejado, vidros, quebrados e um funcionário acabou ferido.

Getúlio Vargas, depois de assinar Ato Adicional com o anúncio de eleições gerais no País, afirma que sua missão está cumprida, apóia o general Eurico Gaspar Dutra para a Presidência e extingue o famigerado DIP, organismo criado para orientar a propaganda e direcionar a censura em favor do Estado Novo.

Ele, na verdade, queria continuar na Chefia da Nação, e seu propósito era concorrer nas eleições marcadas para 2 de dezembro. Esperava contar com o apoio decisivo dos Diários Associados. Este lhe foi negado, expressamente e por duas razões. Porque Chatô se dizia comprometido com a candidatura de Eduardo Gomes e porque Getúlio havia nomeado ministro da Justiça o ex-interventor de Pernambuco, Agamenon Magalhães, inimigo visceral da empresa. Agamenon fechou as portas do *Diário de Pernambuco* e, no ministério, foi o autor da "Lei Malaia", assim chamada graças às feições asiáticas do ministro. O governo dizia pretender, com esse decreto, a proteção da economia e das empresas brasileiras contra a ação dos grandes trustes. Mas ao proibir que empresas jornalísticas de um só proprietário pudessem ser acionistas de outras do mesmo ramo, ou que se fundissem entre si, ou se organizassem em associação ou agrupamentos, o decreto parecia destinado especificamente aos Associados.

"Creio que nunca se fez no Brasil uma legislação com tal ferocidade, com o objetivo exclusivo de exterminar uma organização que somos nós, os Diários Associados", proclamou Chateaubriand.

Ao sentir Getúlio enfraquecido, Chatô tripudiou: "A candidatura do caudilho morreu pela própria incapacidade de seu autor, que viveu sete anos fechado numa estufa, cercado de adulões, confundindo o DIP com a imprensa e os cortesãos da 'Hora do Brasil' com a opinião pública".

Nada impede a queda de Vargas, em outubro de 1945, derrubado por um movimento militar. Ele se auto-exila em São Borja. E de lá continua a manejar os cordéis da política brasileira. Chatô envia o repórter Edmar Morel para entrevistá-lo. Getúlio o recebe com um charuto entre os dedos e, na outra mão, o exemplar de *O Jornal* em que o repórter havia narrado a sua deposição do Palácio Guanabara. Fala sem mesuras:

– Não tem entrevista. Volta para o Rio e diz ao Chateaubriand que isto aqui é uma casa de família.

Com a posse de Eurico Gaspar Dutra na Presidência da República, em janeiro de 1946, a imprensa respira tempos mais tranqüilos. Essa calmaria leva Ernesto Corrêa a decidir-se por um novo empreendimento. Até então, sua única experiência fora do jornalismo havia sido o cultivo de arroz, junto com o pai. Estimulado por um amigo e futuro sócio, investe em algo incomum: pesquisar carvão mineral numa área de quase setecentos hectares no município de São Jerônimo. Obtém, para isso, autorização do Governo Federal, através de Decreto assinado pelo presidente da República.[64]

Pouco se sabe sobre a experiência, afora o nome da jazida: Boa Vista. O certo é que ela não rendeu os frutos esperados, e a empreitada acabou por ter vida curta. Na década de 50, Ernesto fez outra incursão no ramo dos negócios: plantou arroz em sociedade com Chico Garcia, proprietário da Casa Victor e grande amigo do pessoal dos Associados. Armando Garcia de Garcia, filho de Chico, foi quem supervisionou a lavoura e lembra que foi um contrato de duração limitada.

Ernesto compreendeu, e de forma definitiva: seu negócio era mesmo a redação. Voltou a se dedicar, por inteiro, ao *Diário de Notícias*, e o jornal atravessou um largo período sem tropeços. Os boletins indicam elevação contínua da tiragem, a publicidade cresce em volume, a empresa é lucrativa.

Apenas para satisfazer o pai, enquanto este viveu, Ernesto arrendou pequenas frações de terras, entregues para seu Alcides ocupar-se a escassas e lúdicas atividades agrícolas.

Durante o tempo de calmaria, o *Diário* publica as tiras de "Dom Fulgêncio, o homem que não teve infância", personagem de Lino Palácio, um destacado caricaturista argentino. Volta sua atenção para as questões regionais e dá grande destaque à vitória de Walter Jobim para o Governo do Estado. O novo governador posa para a contracapa, em fevereiro de 1947, e o perfil do eleito é destacado como "Um gaúcho no governo do Rio Grande", crítica velada ao último interventor, Ernesto Dorneles, primo de Getúlio e nascido em Pernambuco.

Para reforçar seu comando, Ernesto Corrêa promove Say Marques para lugar-tenente. Ele assume como diretor-secretário da redação, em lugar de Armando Oliveira.[65]

Deve-se a ele o apoio decisivo do *Diário de Notícias* a dois grandes eventos culturais e artísticos da época: o Movimento Tradicionalista e a criação da Orquestra Sinfônica de Porto Alegre.

Nasce uma curiosa promoção, premiada com uma assinatura anual:

> *"A partir de domingo, todos os dias, o* Diário de Notícias *publicará, entre os Anúncios Econômicos, um Anúncio Impossível, isto é, um anúncio que não existe ou por um preço irreal. Recorte esse anúncio e o envie, no mesmo dia da publicação, juntamente com o seu nome e endereço, à Rádio Difusora Porto-Alegrense, rua Siqueira Campos, 1221".*[66]

E o *Diário* suplanta o *Correio* em tiragem, conforme Décio Freitas:

> *"Isso graças à publicação, em forma de folhetim – um capítulo por dia –, da história dos 'crimes célebres de Porto Alegre'. Uma vez que eu era um repórter formado em direito e já no exercício da advocacia, entendeu Ernesto Corrêa de me designar para a tarefa. Mergulhei na massa considerável de processos do Arquivo Público do Estado, pesquisando os 'crimes célebres'. Foi um trabalho insano, mas, ao mesmo tempo, emocionante, e não tenho dúvida de que me deu gosto pela história.*

"Iniciei a pesquisa em janeiro de 1948 e já em dezembro o Diário de Notícias *iniciava a publicação dos folhetins. Não se tratava de relato histórico, mas de novelização dos fatos, dentro de uma preocupação nitidamente jornalística e, devo dizê-lo, sensacionalista. Cada capítulo se fazia acompanhar de uma ilustração, um desenho feito por Tom, artista cujo o nome, infelizmente, não recordo. O sucesso de público, enorme, permitiu ao* Diário de Notícias *suplantar seu rival".*

Décio vai além. Reflete sobre o comportamento da sociedade gaúcha, à época:

"...O primeiro folhetim foi exatamente sobre os crimes de José Ramos, sob o título de O Açougue Humano da rua do Arvoredo. *À medida que a história avançava, Ernesto Corrêa passou a ser procurado, e pressionado, por pessoas as mais diversas, representativas da cidade – lembro-me do oficial de gabinete do prefeito e de um monsenhor – no sentido de silenciar-se sobre o consumo de lingüiça de carne humana pela população. Ponderava-se, de uma maneira geral, que semelhante revelação seria demasiado chocante para a população; argumentou-se, mesmo, que a produção e o comércio de lingüiça sofreriam uma retração nas vendas. A pressão foi eficaz: o folhetim evitou ser conclusivo sobre o consumo da lingüiça de carne humana".*[67]

Sirene do *Diário* anuncia o assassinato de Ghandi

Mahatma Gandhi, o líder indiano, é assassinado, em outubro de 1948, por um extremista hindu. Cinqüenta anos depois, Luis Fernando Verissimo, em artigo publicado em *O Estado de S. Paulo* – "Ar e Chumbo"[68] – lembra o momento histórico:

"Eu estava na rua da Praia. Não me lembro por que ou com quem. Ouviu-se o som de uma sirene. Todos, na rua, começaram a andar na mesma direção, na direção da sirene. Alguns corriam. A pessoa que estava comigo me puxou pela mão. Seguimos a multidão. Seria um ataque aéreo? Impossível, a Segunda Guerra Mundial acabara três anos antes. O nosso lado ganhara. Durante a guerra

era comum ouvir-se a sirene anunciando o blecaute na cidade, para prevenir contra um ataque inimigo. Nunca se soube bem de onde viria um ataque alemão a Porto Alegre, talvez de Novo Hamburgo, mas era melhor não facilitar. Falava-se muito que uma guerra entre o Brasil e a Argentina era inevitável, em algum ponto da nossa história. Por isso a bitola das nossas ferrovias era mais estreita do que a deles, para a Argentina não nos invadir de trem. Aviões argentinos podiam estar se aproximando de Porto Alegre para bombardear o Largo dos Medeiros, o Café Central e as sedes do Grêmio e do Internacional, aniquilando com um golpe só toda a nossa capacidade de reação. Mas ninguém estava olhando para o céu.

A multidão se aglomerava na frente do edifício do Diário de Notícias, *de onde vinha o som da sirene. Todos queriam ler uma notícia escrita às pressas num cartaz preso à fachada do prédio ou pendente de uma janela. Gandhi assassinado! Não era guerra. Entre aliviado e perplexo – onde fora o assassinato de Gandhi, por que tinham matado Gandhi e, acima de tudo, quem era Gandhi? –, fiquei ali, maravilhado diante daquela coisa mística, aquela entidade misteriosa onde as notícias do mundo chegavam em minutos, pelo ar, e eram propagadas daquela maneira. Com espalhafato, se merecessem o espalhafato.*

No dia seguinte, lá estava, na capa do Diário, *tudo sobre o assassinato. A foto e a biografia de Gandhi e os detalhes da notícia que não cabiam no cartaz escrito à mão. Foi a primeira vez que me detive na primeira página do jornal antes de passar automaticamente para a seção de esportes. Tinha um interesse particular na história. Como parte da multidão convocada na rua pela sirene para saber da novidade, eu praticamente era uma testemunha ocular do crime.*

Também foi a primeira vez que pensei no mecanismo de um jornal e imaginei como seria aquela alquimia, captar o acontecimento no ar e transformá-lo em informação. Transformá-lo naquela sintética lição de história, de grandeza e selvageria ao mesmo tempo, que eu estava tendo ali, estendido de barriga no chão lendo o Diário. *Depois passei para o noticiário do futebol e para os meus ídolos do cotidiano. Um jornal era isso, o sobressalto da novidade e a garantia de que a nossa rotina continuava. Simultaneamente um espalhafato – um espalha fatos – e um repetidor das nossas confortáveis banalidades municipais. O grande Gandhi fora assassinado, mas em compensação o grande Tesourinha estava cu-*

rado da lesão e jogaria o Grenal e um novo seriado completo estava para estrear no Apollo.

Quando entrei na oficina de um jornal pela primeira vez, me decepcionei. O processo não era nada como eu imaginara. A notícia não era destilada do ar, entrava por uma grande e barulhenta usina de transformação ocupada por pessoas sem o menor ar de alquimistas. E os linotipos! Até hoje penso nos linotipos como dinossauros: bichos fantásticos e improváveis, de um tamanho que os jovens digitadores de hoje não podem nem imaginar, e que no entanto existiram, e há restos fossilizados para provar.

Metabolizavam texto em chumbo. E durante muitos anos, como os dinossauros, eles também dominaram o mundo.

A informatização das redações e a progressiva 'limpeza' das oficinas gráficas com a composição e a impressão a frio tiveram o mérito de devolver, pelo menos a pré-eletrônicos como eu (confesso que ainda não assimilei o princípio da torneira), um pouco do velho mistério. Voltei à fascinada ignorância dos meus dez anos e estou de novo convencido de que tudo passa do ar para o papel por mágica.

Mas, seja feito do ar ou com chumbo, o jornal sempre me deu a mesma sensação simultânea de urgência e conforto que senti há cinqüenta anos. Nenhum outro meio de comunicação consegue isto: a autoridade para nos contar o que aconteceu com detalhes e distanciamento e a intimidade para compartilhar tudo conosco num contexto doméstico cálido e próximo. O rádio nos diz, a televisão nos mostra, mas só o jornal nos envolve.

O Diário de Notícias *de Porto Alegre não existe mais, o prédio que o sediava veio abaixo e eu mesmo já não estou bem aqui, mas cinqüenta anos depois o deslumbramento daquele dia na rua da Praia persiste."*

Samuel Wainer entrevista Getúlio. E vai para a história

Chateaubriand vem a Porto Alegre, em meados de 1948, pede a Ernesto Corrêa que convide Cláudio Candiota para um almoço no City Hotel. Queixa-se da dificuldade de contatar Getúlio Vargas, e Candiota faz uma bravata: garante que entrevistaria o ex-ditador. Contou que já era piloto, disse que havia participado há algum tempo de uma festa da Aeronáutica em São Borja e que, a tantas, por curiosidade, voou até a fazenda de Getúlio. E percebeu que, à frente da casa principal, havia um potreiro onde, a seu juízo, era possível pousar um avião. Candiota garantiu a Chateaubriand que, com um "teco-teco", pousaria "nas barbas" do Getúlio.

Chatô ouviu.

Algum tempo depois, Ernesto Corrêa estava no Rio de Janeiro e de lá enviou um telegrama a Candiota. Chateaubriand determinava que voasse até a fazenda Santos Reis para entrevistar Getúlio sobre o retorno de Washington Luiz de um exílio que durou quinze anos.

Candiota, consciente de que aquela não era tarefa para um piloto principiante, conversou com Rubem Berta, e este lhe cedeu um pequeno avião da escola de pilotagem da Varig. O avião efetivamente pousou na frente da sede da fazenda. Getúlio disse de seu desconforto com os Associados e, em especial, com Chateaubriand – "ele foi muito ingrato comigo" –, mas Candiota assegurou que o seu chefe tinha por ele grande apreço, falava com ternura sobre Getúlio e gostaria de reconciliar-se.

Getúlio acabou concordando com a entrevista, para dizer que a Revolução de 30 tinha sido feita não contra Washington Luiz, mas para preservar a Federação, em contrapartida à política dominadora de São Paulo e Minas Gerais.

No final, ainda sobre Chatô, Getúlio disse: "Em política, a gente tem sempre que levantar a bandeira branca".

Chateaubriand tomou a "bandeira branca" como sinal verde e tratou de aproximar-se.

Samuel Wainer, repórter de *O Jornal* e futuro dono da *Última Hora*, vem ao Rio Grande, no início de 1949, entrevistar Getúlio Vargas, em mais um episódio intrincado porém fundamental. Wainer assegura que Chatô o enviou para fazer uma reportagem sobre a cultura do trigo e que, por sua iniciativa, foi ao encontro do ex-presidente. Góes Monteiro, ex-ministro da Guerra e um dos principais articuladores do golpe de 45, assegura que a missão de Wainer era chegar na intimidade de Getúlio e tornar-se espião dos Associados. Anos depois, com Wainer já tendo fundado a *Última Hora*, Chatô, num artigo nunca desmentido – nem por Samuel nem por Getúlio, embora a isso provocados –, lembra que a missão era a entrevista e só se concretizou depois da interferência de Salgado Filho. "Nada fez o repórter Samuel Wainer que não fosse de iniciativa da organização onde trabalhava."

A presença, na entrevista, do repórter J. Thadeo Onar e do fotógrafo Lauro Porto, do *Diário de Notícias*, reforça essa afirmação.

Versões à parte, o certo é que se tratava de um "furo" fantástico, e a reportagem foi para a história.

Fevereiro, sábado de carnaval.[69] Wainer, Thadeo e Lauro, a bordo de um táxi-aéreo, desceram na fazenda Santos Reis. O próprio Wainer confessou suas escassas esperanças de um contato com o ex-ditador. Getúlio se impusera um absoluto silêncio. E não eram poucos os que já o imaginavam definitivamente morto para o poder.

Num depoimento ao historiador Hélio Silva, Wainer testemunhou:

"Até hoje não sei por que Getúlio resolveu me receber naquela tarde. Ele nunca me disse. Mas sempre desconfiei que cheguei à estância Santos Reis na hora exata em que a campanha subterrânea do 'ele voltará' e do 'nós queremos', lançada para preparar o retorno do ex-ditador, estava atingindo o momento de vir à tona".

Getúlio Vargas atendeu ao pedido de Lauro Porto, permitiu algumas fotos e depois ficou a sós com Samuel Wainer. Falou durante 45 minutos e, ao final, o repórter perguntou-lhe se podia transformar as declarações em entrevista. Getúlio concordou.

Os jornalistas pernoitaram em São Borja e, no domingo, Samuel Wainer redigiu a entrevista na redação do *Diário de Notícias*, em Porto Alegre. Dez laudas, em três vias: uma para o *Diário*, outra para os Associados de São Paulo, e a terceira destinada a *O Jornal*.

Ernesto Corrêa resistiu no primeiro momento. Foi cauteloso como nunca. As declarações de Getúlio eram explosivas demais. O ex-ditador anunciava:

"Sim, eu voltarei. Não como líder político, mas como líder de massas".

Ernesto sugeriu a Wainer que submetesse o texto a Alberto Pasqualini, líder e autoridade incontestável do PTB. O teórico do trabalhismo, partícipe da conspiração silenciosa para o retorno de Getúlio, só quis saber duas coisas. Se a aparência saudável do ex-ditador era mesmo tal qual descrita na reportagem e se a frase de Getúlio fora exatamente aquela: "Sim, eu voltarei. Não como líder político, mas como líder de massas".

Wainer confirmou. Pasqualini então lhe disse:

– Publique logo essa entrevista, rapaz. Ela é uma bomba que vai abalar o País.

"Sim, eu voltarei." Com a proclamação, começava a nova caminhada de Getúlio Vargas em direção ao poder. E mais de um ano e meio antes das eleições realizadas em 3 de outubro de 1950, desencadeou-se

Ernesto Corrêa com Alberto Pasqualini.

o processo sucessório. A fazenda do Itu tornou-se o grande santuário da política. Para lá acudiam todos os pretensos e eventuais candidatos – Salgado Filho, Nereu Ramos, Oswaldo Aranha, Ademar de Barros, entre outros – em busca do apoio do ex-ditador.

Getúlio manteve todos submissos ao seu império, até junho do ano seguinte, quando o PTB, pressionado pelas massas queremistas, lançou-o candidato à Presidência da República.

Afoiteza e intuição de Ernesto. Mais um "furo" nacional

Chega o Ano Santo de 1950, assim decretado pelo universo católico brasileiro. É o 25° aniversário do *Diário de Notícias*, comemorado com parcimônia – um editorial apenas, de reafirmação de princípios, "Hoje como há um quarto de século". No futebol, é o momento da grande frustração nacional, com a derrota para o Uruguai, na partida final, no Maracanã. É quando "os Associados viveram seu apogeu", conforme Glauco Carneiro, e promoveram o nascimento da televisão no Brasil, com o início das operações da TV Tupi, de São Paulo. Acima de tudo, é o ano da eleição de Getúlio Vargas, agora em pleito direto e com uma votação (49% dos votos) questionada pelos opositores por não ter obtido maioria absoluta. A UDN tenta, sem êxito, impedir a posse.

Naquele inverno, outro "furo" que marcou a história do jornalismo

Redação do Diário de Notícias, *na rua São Pedro, no final dos anos 50. Ao fundo, Fúlvio Bastos, Josué Guimarães e J. J. Monteiro. Da esquerda para a direita, entre outros, Pedro Campos, Baltazar Prates, Jayme Keunecke, Mário Everard, Carlos Corletto, Oscar Santos, Cícero Soares e Sruli Zilberman.*

gaúcho. Só possível por uma afoiteza de Ernesto. Não havia ainda a confirmação da morte de Salgado Filho, quando ele decidiu anunciá-la em edição extra, na segunda-feira: "Meteorologia, matemática, um pouco de intuição convenceram-me que o avião tinha realmente caído e que todos – tripulantes e passageiros – haviam morrido".

Salgado Filho, escolhido candidato do PTB ao Governo do Estado na convenção do partido realizada no Theatro São Pedro, cumpriu o ritual: desceu a Ladeira, até chegar à rua da Praia, e foi visitar as redações do *Diário de Notícias* e do *Correio do Povo*, para fotos e entrevistas.

No sábado, Salgado Filho foi, mais uma vez, ao *Diário*. Na manhã seguinte, voaria para São Borja, ao encontro do chefe Getúlio Vargas. Alertado para as más condições do tempo, contrapôs, em tom de blague:

– Para ex-ministro da Aeronáutica, dr. Ernesto, não há mau tempo.

No domingo, tão logo os primeiros rumores sobre um provável acidente chegaram a Porto Alegre, a redação do *Diário* foi ocupada por jornalistas, fotógrafos, autoridades, todos em busca de informações. Ernesto ligou para Santa Maria e pediu a Cláudio Candiota, diretor d'*A Razão*, que buscasse chegar o mais rápido ao local provável do acidente.

VARGAS ACEITA PORÉM SUGERE

QUE, ANTES, O SENADOR SALGADO FILHO CONSULTE O PSD E A UDN SOBRE A POSSIBILIDADE DO REEXAME DO PROBLEMA SUCESSÓRIO

Candiota, o fotógrafo Walter Bila e Severino Góes, proprietário do Hotel Jansen e amigo de Salgado Filho, embarcaram num velho jipe Land Rover e embrenharam-se por estradas lamacentas e campos úmidos, na rota imaginária seguida pelo avião. Chegaram ao pé do morro Cortelini já noite alta.

De Porto Alegre, partiu um carro-motor da Viação Férrea. Com a linha livre e velocidade máxima, o veículo levou partidários do PTB, familiares e jornalistas até Alegrete, a cidade mais próxima do acidente. Wilson Müller era, à época, revisor e se ofereceu para acompanhar o repórter Waldemar César e o fotógrafo Lauro Porto.

Até a noite, somente declarações esparsas de agricultores residentes ao pé do morro, no município de São Francisco de Assis, indicavam a possibilidade da tragédia. Continuava a chover e a ventar, era impossível aos repórteres fazer a escalada naquela escuridão absoluta.

Ernesto organiza os textos, escreve a manchete e manda chamar o desenhista Thomaz da Costa Pereira. Era um carioca, "importado" pelo *Diário* e pelo Sport Club Internacional por ser hábil desenhista e bom jogador de basquete. Solteiro e boêmio, Thomaz não foi encontrado na pensão em que morava.

À época, as grandes manchetes eram desenhadas, e Ernesto, nervoso, caminhava de um lado para outro, até que um jovem "carrancho"* da revisão, Heron De Lorenzi, chegou-se ao amigo Paulo Corrêa e lhe disse:

* Substituto eventual na falta de um revisor titular.

– Fala pro teu pai que eu resolvo isso.

A mesa do desenhista foi arrombada e, sob o olhar impaciente do diretor, Heron foi modelando, cauteloso, as letras da manchete:

Morreu Salgado Filho

Ernesto Corrêa aguardou a confirmação da tragédia até a undécima hora. Nenhum dos enviados ou qualquer autoridade tinha condições, no entanto, de fornecer uma informação conclusiva. As páginas da edição extra estavam na rotativa, prontas. À espera de uma voz e de uma ordem.

Ernesto respira fundo. Um olhar para Ezequiel. A máquina é acionada.

Na história dos Associados, ele referiu o episódio como um dos mais relevantes:

> *"...Joaquim Pedro Salgado Filho, já nos umbrais do governo do seu Estado natal, morre dramaticamente. O avião que o conduz ao encontro de Vargas, em Itu, choca-se num pedaço da terra que tanto amou e perde a vida o varão de Plutarco, a quem Chateaubriand queria um bem infinito. O* Diário *sai em edição extra. Coberto de luto. Ninguém até a madrugada de segunda-feira (o Douglas do comandante Kramer caíra às 9 horas de domingo, dia 30 de julho de 1950) admitia a tragédia. O Ministério da Aeronáutica, por ele criado, insistia nos desmentidos. Dona Berta Salgado também não acreditava. Nem o próprio Chateaubriand. Só nós tínhamos certeza da irreparável realidade. O* Diário *ganha as ruas regurgitantes de uma população consternada às lágrimas. Bate um recorde de tiragem. A Duplex, lá do fundo da sua furna cavada na rocha viva, imprime e imprime. Começa às 8 horas. As bobinas de papel rolam como toros nas corredeiras. A velha rotativa arfa, mas não pára. Só deixa de resfolegar às 20 horas; 164 mil exemplares são vendidos. Dez mil no Rio, transportados pela VARIG. Essa marca perdura até hoje. Com sobras. E Porto Alegre tinha, à época, apenas 600 mil habitantes".*[70]

A edição repercute no país todo.

Confirmado o desastre, removidos os corpos, só Rui Ramos foi avisado da vinda do então candidato Getúlio Vargas para prestar homenagem póstuma a Salgado Filho. Wilson Müller acompanhou Rui Ramos ao aeroclube. Único jornalista no desembarque, emocionado ao ver-se diante da figura histórica de botas, bombacha e lenço no pescoço, armou-se de coragem e perguntou se ele desistiria ou adiaria o início da campanha, em função do acidente, como já se comentava nos meios políticos.

Ernesto Corrêa não queria acreditar no que ouvia quando Wilson narrou-lhe, apesar das dificuldades do contato telefônico, a resposta de Getúlio:

– Por que desistir? A candidatura é do povo soberano. Prometemos ao povo e faremos todo o possível para norteá-lo no exemplo do grande Salgado Filho, continuar a obra que ele iniciou. Incentivar a campanha é abreviar a luta.

A declaração foi destaque da contracapa do *Diário*[71], assim como as fotos feitas por Cláudio Candiota com a máquina do fotógrafo Bila, que tinha pés chatos e não se animou a subir o morro.

Ao chegar no jornal, orgulhoso e envaidecido com o "furo", Wilson já se considerava um jornalista, guindado à redação. Nenhum aplauso, no entanto, apenas instruções para retornar ao velho posto.

"Foi minha primeira reportagem como revisor", lamenta-se, ainda hoje.

Getúlio Vargas assumiu a presidência em janeiro de 1951. Foi um governo marcado pela oposição implacável de adversários políticos e da quase totalidade da imprensa brasileira. Só o jornal *Última Hora*, de Samuel Wainer, fundado com o estímulo e o apoio de Vargas, tinha-lhe absoluta fidelidade. Em contrapartida, a *Tribuna da Imprensa*, de Carlos Lacerda, é um algoz implacável. O *Diário de Notícias* chega ao Rio de Janeiro diariamente e é presença assegurada na mesa dos dirigentes do país. Na banca da rua do Ouvidor, n° 100, o jornal é disputado pelos gaúchos instalados na presidência e nos ministérios.

Ernesto ensina jornalismo. E acaba nome de jornal

Chega 1952, um ano especial para Ernesto Corrêa. Ele aceita o convite para lecionar Técnica de Jornal no recém-fundado Curso de Jornalismo da Faculdade de Filosofia da UFRGS.

Não havia experiências a serem copiadas, os parâmetros eram escassos, o jornalismo acadêmico no Brasil estava no nascedouro. Ernesto, visceralmente jornalista, não se considerava professor. Mas a idéia de transferir conhecimentos práticos lhe agradava.

Durante 23 anos, o Major dedicou-se à tarefa com carinho e prazer. Admirava-se com o número de mulheres jovens que buscavam o

Ernesto Corrêa e seus alunos de jornalismo na redação do Diário de Notícias. *Da esquerda para a direita, entre outros, Isnar Cardona Machado, Sinval Medina, Érika Coester Kramer, Cremilda Araújo Medina, Suzana Matos e Marta Oliveira.*

caminho do jornalismo universitário. A alguns velhos e incrédulos jornalistas, afirmava com freqüência: "Mais dia, menos dia, elas vão dominar as redações de jornais, do rádio e da televisão".

Na primeira aula, Ernesto convida o jornalista José Joaquim Monteiro para assisti-lo.

– E então Monteiro?

– Não gostei...

– Mas como?

– Não gostei da maneira como o senhor olhava para as pernas das meninas... Quanto à aula... bem... o senhor fez uma declaração de amor ao jornalismo. Foi brilhante.

Ernesto vai à procura de todos os livros sobre jornalismo que ainda não estavam em sua biblioteca. Tinha especial apreço pelas obras *Moralética del periodismo* e *Manual de psicologia aplicada al periodismo*, de Octávio de la Suarée, professor e secretário da Escola Profissional Manuel Márquez Sterling, de Havana, Cuba.

Outros referenciais bibliográficos: *O repórter e as notícias*, de Philip N. Porter e Norval Neil Luxon, *Introdução ao jornalismo*, de F. Fraser

Bond, *El periodismo – teoria y prática*, organizado por Nicolás González Ruiz, *Meios de comunicação de massa*, de Charles S. Steinberg, *Manual de jornalismo*, de John Hohenberg, e *Os meios de comunicação e a sociedade moderna*, de Theodore Peterson, Jay W. Jensen e William L. Rivers.

Em todos, Ernesto fazia anotações e comentários pessoais, além de sistematizar os temas. Não raro, rabiscava correções nos textos.

Num esgarçado exemplar do *Manual de jornalismo* – hoje relíquia na biblioteca do filho Fernando Ernesto –, Ernesto Corrêa classifica de monótono este texto:

> *As chamas arrasaram hoje uma casa de cômodos no East Side, matando duas pessoas e ferindo três outras da mesma família.*

E denomina de ágil este outro, com a mesma notícia:

> *As chamas arrasaram hoje uma casa de cômodos no East Side, matando duas pessoas. O incêndio feriu ainda três outras. Os mortos e feridos pertenciam à mesma família.*

Não se contém, risca sobre a nota e produz o texto que lhe parece mais adequado:

> *As chamas arrasaram hoje uma casa de cômodos no East Side. Duas pessoas morreram e três saíram feridas. Todas as vítimas pertenciam à mesma família.*

Em *Os meios de comunicação e a sociedade moderna*, são recorrentes as observações sobre a liberdade de imprensa e a liberdade dos indivíduos como valores essenciais.

A propósito da afirmação de George Sokolsky, de que "alguns jornais e alguns jornalistas podem se tornar subservientes a propósitos baixos, mas num sistema competitivo a verdade será sempre descoberta; o que um procura ocultar, outro publicará; o erro de um repórter é corrigido por outro", Ernesto escreve: "Por isso, a pluralidade é uma arma a favor da imprensa".

E diante da afirmação de que "as publicações más tendem a afastar as boas", ele protesta: "Discordo: a boa imprensa expulsa a má".

No livro *Curso de Jornalismo*, que reúne conferências realizadas na Academia Brasileira de Letras, ele escreveu: "Jornalismo é a arte verbal, em prosa, de apreciação de acontecimentos, com finalidade informativa, formativa, estética e paraestética (elaboração da opinião pública)".

J. Thadeo Onar viajava com freqüência a Buenos Aires e ficou encarregado de lhe trazer as obras recém-editadas. Da amiga Ruth Caldas, irmã de Breno Caldas, recebia jornais trazidos dos roteiros ao redor do mundo. Formou, com o tempo, uma hemeroteca, doada, quando da aposentadoria, ao colega e futuro diretor da Faculdade, Fernando Guerreiro.

Em setembro de 1970, o reitor Eduardo Faraco, depois de autorizar a transferência das instalações do curso de jornalismo para a rua Jacinto Gomes, onde funciona atualmente, transformou-o na Faculdade de Biblioteconomia e Comunicação (Fabico). Um ano depois, Ernesto Corrêa assumiu a chefia do Departamento de Comunicação da faculdade, e nela permaneceu até a aposentadoria compulsória.

Em 1972, recebeu uma homenagem comovedora. Os alunos produziram um jornal mural com diagramação e tamanho diferenciados – 60 centímetros de altura por 80 de largura – e textos diversificados. O título do jornal: "O Ernestão".

Eram os mais difíceis tempos, depois de 64, e, no editorial, os estudantes fazem perguntas e afirmações:

> *"Este é o primeiro número de alguma coisa, por algum motivo. Jornal Mural? Jornal Escola? Laboratório?*
> *"É exteriorização de uma vontade reprimida. É bom? É mau? Simplesmente existe. Informa? Forma? Pelo mínimo forma uma idéia da vontade que temos. Informa quão restrito é o espaço que nos concedem. O título do jornal deveria ser: 'Por favor, leiam nas entrelinhas'. Mas entrelinhas também existem e, por vezes, dizem mais".*

O número zero foi editado em julho, com duas matérias sobre cinema, comentando os filmes *Ana Terra*, de Durval Garcia, e *Como era gostoso meu francês*, de Nélson Pereira dos Santos –, uma sobre teatro – o trabalho do diretor Ronald Radde – e outra sobre os males do fumo. O texto principal era sobre a evolução da imprensa – "voltam os homens a enfatizar a palavra falada, ouvida, teleouvida, ou televisionada, transmitida e transistorizada, gravada e enlatada, o que significa, em outras palavras, que a idade eletrônica está contribuindo para retribalizar o homem através da instantaneidade". No pé da página, uma matéria política, "emedebelogia", criticando as carências ideológicas de Arena e MDB.

Foi editado pelo menos um número a mais – talvez dois – de "O Ernestão", mas não restou um exemplar sequer nos arquivos da Faculdade.

O professor Geraldo Brochado da Rocha, ao se completar trinta anos de funcionamento do Curso, escreveu um artigo com o título de "O major":

"...Não é demais repetir, para valorizar: o professor Ernesto Corrêa foi o primeiro professor catedrático de Técnica de Jornal, no Rio Grande do Sul, matéria cuja importância é singular na formação do jornalista.
Ele era o curso em si e o que ele ensinava era o mais importante. Dava gosto ver aquele homem simples, de inteligência fascinante, transmitir o que sabia como ninguém: fazer jornal. Era um mestre à moda americana, querido de seus alunos, sem empáfia, sabendo dizer e fazer as coisas de forma simples e elegante, pondo de lado os exageros da cultura farta e da experiência singular...
...Homem de marcada bravura pessoal, não tinha o menor apego às coisas materiais, pouco lhe importando o dinheiro, honrarias, distinções de poderosos. De boas maneiras, era possível conseguir dele o impossível, mas não aceitava coação, a impertinência nem a agressão: revidava logo como um tigre. Não alimentava ambições, ainda que estivessem muito abaixo de seu valor, e por isto nunca se comportou como um frustrado ou um vencido. Na última década da vida, ainda parecia um jovem: assim gostava de se sentir, assim andava, firme e reto, elegantemente, no galaxie bordô, como se ainda estivesse 'entardecendo'...
Formado na luta pela vida, armado cavaleiro por homens da estirpe de Leonardo Truda, escrevia com espantosa facilidade, num estilo todo pessoal, ernestiano, jornalisticamente perfeito. Pelos mais íntimos, os privilegiados pela sua preferência afetiva, ele gostava de ser chamado Major: era assim que a ele me dirigia, quando não o chamava de Mestre. Por isso, hoje, relembro o muito que fez pelo nosso Curso de Jornalismo, até que dele fosse afastado pela idade, estupidamente prevista em lei, e dou a esta crônica, roceada de emoção e de saudade, dia de agradecimento e de reverência, o título que mais tocava o seu coração amigo, profundamente convencido de que ele foi, na verdade, o maior e o melhor de todos nós...".[72]

Nos cinqüenta anos de Ernesto Corrêa, Josué Guimarães dedicou-lhe a crônica de sua coluna "Conversa do dia", do jornal *A Hora*. O texto termina com estes dois parágrafos:

"...Os seus alunos de hoje, na Universidade, têm nele o melhor professor que poderiam aspirar. Ele é a própria imprensa gaúcha, o melhor mestre, o amigo certo, o companheiro mais velho que tem muito a ensinar, o exemplo vivo do amor ao jornalismo. Felizes dos que iniciam os primeiros passos nesta senda tendo como guia a experiência e os conhecimentos de Ernesto Corrêa. Valho-me desta crônica para abraçá-lo com afeto. Ontem foi um dia da imprensa de todo o Rio Grande".[73]

Chatô tenta comprar o *Correio*. O *Diário* lança o hino do Grêmio

Foi nessa época que Ernesto conheceu uma mulher faceira e envolvente, de quem jamais se afastaria. Ele estava com 48 anos, o dobro da idade de Yvonne. Foi o jornalista Mário Moreira, cronista esportivo do *Diário*, amigo e uma espécie de secretário particular de Ernesto, quem fez as apresentações. Mário namorava Ivana, uma das mulheres mais admiradas nos *footings* da rua da Praia. Yvonne era grande amiga de Ivana. E também tinha traços bonitos.

Ernesto sempre foi um homem sedutor. Teresinha Turcato, sua aluna, diz que "ser cumprimentada por Ernesto Corrêa era como receber uma homenagem de cavalheiros do século 18".

A boemia é parceira leal dos jornalistas. Numa noite de verão em que caminhavam pela praça da Alfândega, Cláudio Candiota, então secretário do jornal, disse a Ernesto que gostaria de mudar de vida, estava cansado daquelas madrugadas de vigílias.

Parafraseando o *slogan* dos udenistas, Ernesto respondeu:

– A propósito de vigílias, não esqueça de uma coisa, meu caro Candiota: "O preço da vigilância é a eterna liberdade".

Nesse ano de 1953, o *Diário* consegue superar a tiragem do *Correio do Povo*. Não existia ainda o IVC ou qualquer outra empresa especializada em auditar tiragens de jornais. Contabilizava-se pelo volume de papel importado. Ernesto, orgulhoso e envaidecido, sugere a Chateaubriand que o jornal passe a usar o *slogan* do *Correio*: "O jornal de maior circulação e tiragem do Rio Grande do Sul". Para surpresa de Ernesto, Chatô não concorda: "É pura provocação".

Não demora e Ernesto compreende a cautela. Chatô vem a Porto

Alegre para reavivar um sonho, frustrado no final da década de 20: comprar o *Correio do Povo*.

Procura Breno Caldas, à noite, e lhe diz, taxativo:

– Dr. Breno, quero comprar o *Correio do Povo*.

O todo-poderoso da Caldas Júnior não pestaneja. Olha o relógio e responde, irônico:

– A esta hora, quase onze da noite, é difícil. Mas talvez o senhor consiga um exemplar na banca da praça da Alfândega.

Chatô retorna ao City Hotel, onde sempre se hospedava. Liga para Ernesto Corrêa, convida-o para tomar um champanhe.

Sobem pelo elevador, e Chatô toca na porta do apartamento ao lado. Ernesto conhecia muito bem os hábitos do chefe. Ele sempre chegava do Rio de Janeiro acompanhado de uma ou duas belas mulheres. E reservava dois apartamentos. Um para reuniões, outro para festas.

Havia champanhe francês. Chatô, de cuecas, praguejou contra Breno Caldas, gargalhou, mandou que as mulheres fizessem *strip-tease*.

"Esses gaúchos...", disse a tantas, num lamento.

Antes de ser levado ao aeroporto, para retornar ao Rio de Janeiro, caminhou até a Casa Masson, na rua da Praia, comprou jóias para as mulheres e mandou cobrar a conta no jornal.

Sempre fazia isso.

Na redação do *Diário*, no inverno de 1953, os homens do esporte estão inquietos. Não pelo quadro político, conturbado pelos desacertos do governo federal. São todos gremistas: o editor Ernesto Cross Valdez, Aparício Viana e Silva, Heron de Lorenzi, Carlos Engelke Filho e Paulo Corrêa, o Paloca. Será comemorado o cinqüentenário de fundação do Grêmio Futebol Porto-Alegrense, e o *Diário de Notícias* quer marcar presença. O que fazer? Surge a idéia: um concurso para a criação do hino do clube.

Mas o tempo é escasso. E o problema acaba na alçada e no gabinete do diretor. Ernesto Corrêa revisava o texto do repórter Wilson Müller, para o "Raio X". A coluna fora outra "invenção" de Ernesto para se contrapor à capacidade do *Correio do Povo* de dedicar imensos espaços ao noticiário da Assembléia Legislativa, com a publicação, na íntegra, de discursos e projetos de lei. Nasceu ali o colunismo político feito de pequenas notas, tão comum na atualidade.*

---

* O jornalista Marco Antônio Schuster, em suas pesquisas para a Dissertação de Mestrado, *Página 10 e PT – Jornalismo e política na sociedade de comunicação*, mergulhou nas coleções dos jornais gaúchos em busca das origens do colunismo político e chegou ao *Diário*

Wilson Müller, acadêmico da Faculdade de Direito da UFRGS, lembra no mesmo momento de Lupicínio Rodrigues. O compositor era, à época, bedel da faculdade e amigo e parceiro de farra dos estudantes. Wilson vai à casa de Lupicínio, fala sobre a tarefa, e Lupi não vacila:

– Vou fazer algo que vai levantar as multidões esportivas em torno da bandeira cinqüentenária do Grêmio.

Simultaneamente, outro episódio: explode a greve dos tranviários[74], a cidade fica sem transportes, o estádio do clube localizava-se onde hoje é o parque Moinhos de Vento. Daí o "até a pé nós iremos".

Um mês antes do cinqüentenário, o jornal publica extensa matéria sobre o hino: "Cérebro ou caixinha de música?". Ali está detalhada a história: Lupi compôs, Ruy Silva escreveu, Salvador Campanela foi o responsável pela orquestração, e o cantor Sílvio Luiz, o intérprete. A música, diz o texto, "fala ao coração do mundo desportivo do Rio Grande do Sul. É simples como sabem ser as coisas que tocam a sensibilidade do gaúcho".[75]

No dia 15 de setembro, o jornal edita um Suplemento especial. A "Marcha do Cinqüentenário" – presente do *Diário* para o Grêmio – torna-se o hino oficial.

1954. A crise política termina em tragédia

1954. Impossível, naqueles primeiros meses, prenunciar a dimensão da tragédia, apesar da crise instalada e ainda que Say Marques usasse mais e mais a tesoura para recortar textos da *Tribuna da Imprensa* e reproduzi-los no *Diário*. Say era um sacerdote convicto do Partido Libertador, sem nunca dissociar a atividade jornalística da sua fé partidária e opositora ao governo.

Ernesto Corrêa, conforme o testemunho de Cláudio Candiota, admirava Getúlio Vargas, sem ser, propriamente, um getulista. E tinha severas e freqüentes discordâncias com a postura enraivecida de Chateaubriand e Say em relação ao líder gaúcho.

de Notícias: "A coluna política apareceu no Rio Grande do Sul na década de 1950...". O colunismo com essas características é originário dos Estados Unidos e, conforme Luiz Amaral, em *Técnica de jornal e periódico*, tem enorme sucesso no Brasil pelo "personalismo do brasileiro" e o "ritmo trepidante" do país. De fácil e rápida leitura, "a coluna não é o resumo dos principais acontecimentos do dia, mas a explicação íntima desses fatos, o dado que faltou ao grande noticiário e que não chegou ao conhecimento do público, o lado pitoresco do acontecimento, o detalhe curioso, a história particular de cada decisão".

As preocupações maiores do diretor estavam centradas na crise econômica do país e nas finanças do *Diário de Notícias*.

Em janeiro, o jornal alerta, no editorial "Delírio Altista":

> *"Não há como exprimir de outro modo o que está acontecendo neste país: estamos em pleno delírio altista. Banha, carne, café, leite, gasolina, etc., tudo sobe de preço. (...) É preciso agir. Ou, melhor, reagir (....) Se continuar desenfreada e louca, como até aqui, a corrida altista, vamos para um regime de fome e desespero".*[76]

Em fevereiro, cresce o drama de Getúlio. João Goulart é forçado a renunciar ao cargo de ministro do Trabalho, na esteira da oposição a seu projeto de aumentar em 100% o salário mínimo. O manifesto dos 87 coronéis, quem sabe encomendado pelo presidente ao ministro da Guerra, e secundando a reação de empresários e políticos, é a pá de cal.

Em março, Aliomar Baleeiro, líder udenista, fala abertamente em golpe; em abril, Getúlio envia mensagem ao Congresso propondo o Plano Nacional de Eletrificação e, em maio, depois de uma sucessão de greves, o presidente reajusta o salário mínimo conforme proposto por Jango: 100%. E proclama aos trabalhadores: "Hoje estais com o governo. Amanhã sereis o governo".

Completam-se as negociações com os americanos, e o jornal anuncia a concretização do projeto acalentado com enorme carinho por Ernesto: uma nova máquina impressora.

> *"A fim de poder acompanhar a rápida evolução do nosso jornal, o* Diário de Notícias *adquiriu à R. Hoe & Co. Inc., os maiores fabricantes mundiais de máquinas impressoras, uma Rotativa SuperProducion (...) com capacidade para impressão de 60.000 jornais por hora tendo cada exemplar sessenta e quatro páginas a quatro cores. Seu custo importou em doze milhões de cruzeiros".*[77]

Mas aquele não era mesmo um ano de boas graças para os brasileiros.

A manchete denuncia: "893% o encarecimento do custo de vida em Porto Alegre de 1930 até abril de 1954"[78]. Em pouco mais de vinte anos, a vida atingiu, no Brasil, proporções alarmantes de encarecimento: 1.935% enquanto nos Estados Unidos, no mesmo período, o acréscimo foi de 250%

Em junho, nos campos da Suíça, disputa-se a Copa do Mundo e a Hungria derrota o Brasil por 4 x 2. O sonho do título, frustrado em 50, foi adiado, mais uma vez

Em julho, a baiana Marta Rocha desfila, favorita, na passarela do concurso de Miss Universo. Perde o título. Por duas polegadas. O Brasil inteiro discute circunferências, medidas, centímetros e polegadas.

Em agosto, no dia 2, a manchete da *Tribuna da Imprensa* é uma agressão: "Somos um povo honrado governado por ladrões".

Gregório Fortunato, ex-peão de estância, chefe da Guarda Pessoal do presidente e dono de fazenda em São Borja, esmaga com as mãos o exemplar da *Tribuna*. Não, o "Velho" não é ladrão. Bem que ele tinha ouvido, mais de uma vez, nos corredores do Palácio:

– Esse mentiroso e cretino do Lacerda, só matando!

É isso. E Gregório manda que atirem naquele filho da puta. Acertam-no no pé. Morre o major Rubens Vaz, guardião de Lacerda.

O jornalista Armando Nogueira, repórter do *Diário Carioca*, estava lá. O *Diário* publica o seu relato, enviado pela agência Meridional:

> *"Eu vi o jornalista Carlos Lacerda desviar-se de seis tiros de revólver à porta de seu edifício, na rua Toneleros. Carlos Lacerda acabara de se despedir de um amigo – o major Vaz – e já ia entrando em casa quando um homem magro, moreno, meia altura, e trajando terno cinza, surgiu por trás de um carro e, de cócoras, disparou toda a carga do revólver, quase à queima-roupa: Lacerda foi acertado no pé esquerdo; o major, atingido no peito, morreu um pouco depois. Carlos Lacerda deu uns saltos na direção da garagem, sacou do revólver e respondeu com outros seis tiros, enquanto o capanga corria feito um louco até dobrar a esquina da rua Paula Freitas. O atentado durou dois minutos (era meia-noite e quarenta e cinco). Nosso carro parou à porta do meu edifício, o Otávio Bonfim nos mostrou: 'Olhe ali o Carlos Lacerda'".*

A primeira página continua toda ela reservada ao noticiário internacional. Mas a contracapa passa a dedicar cada dia mais espaço à crise institucional. E os títulos e manchetes retratam o dia-a-dia:

6 de agosto

Atentado contra a vida do jornalista Carlos Lacerda.

7 de agosto

Grave a situação.

Em prontidão as Forças Armadas no Rio de Janeiro.

Em 24 horas, Tancredo Neves avistou-se oito vezes com o presidente da República.

8 de agosto

Lacerda receia que o inquérito não chegue a conclusão alguma:

"Prossigo afirmando que o principal responsável pela agressão que resultou na morte do major Rubens Vaz é o presidente da República".

Fala a mãe de Lacerda: "Sinto-me como se meu filho estivesse numa guerra".

10 de agosto

Perigosa tensão em todo o país. Dissolvida a guarda pessoal do presidente.

Na cartola:

Preso o cabeça do atentado, investigador Francisco Climério, da guarda do Catete.

11 de agosto

Assegura Zenóbio: Garantia do regime custe o que custar.

Caça aos guarda-costas que conseguiram fugir.

12 de agosto

Decide-se a sorte de Vargas no governo.

Receio de assalto ao Catete.

Gregório caiu em contradição (em interrogatório assistido por Lacerda).

13 de agosto

Vargas, peremptório, para os Diários Associados: Sou um presidente eleito e exercerei o meu mandato até os últimos dias, sem um segundo a mais.

Nunca pensei em renunciar, nem falei sobre isso a ninguém.

Discurso de Getúlio em Belo Horizonte: Cumprirei até o fim o dever onde quer que tenha de ser cumprido.

14 de agosto

Sensacional confissão de um dos matadores do major Ruben Vaz: Lutero o mandante.

Declaração patética de Lutero: Juro perante Deus e a Nação que estou inocente.

Ex-presidente Dutra quebra silêncio de três anos e faz uma declaração sensacional: a Nação está precisando da renúncia (de Vargas) para tranqüilizar-se.

17 de agosto

Estende-se ao Rio Grande caça aos pistoleiros.

Sugerida, mais uma vez, a renúncia do presidente da República, dentro da lei na assembléia do clube militar.

Gregório removido para o Galeão.

CEL. ADIL: "CADA VEZ MAIS ME CONVENÇO DE QUE O DR. LUTERO NADA TEM COM O ATENTADO"

GREGORIO FORTUNATO INDICIADO E ALTAMENTE COMPROMETIDO NO CRIME

DIARIO DE NOTICIAS

"Quase nada" o que há no inquérito em relação ao sr. Ricardo Jafet

JAFET, SERENO, DIZ QUE FALARÁ OPORTUNAMENTE

O depoimento do matador

CLIMÉRIO AFIRMARA A ALCINO QUE LUTERO ERA O MANDANTE

ÚLTIMA HORA

PRESO JOSÉ SOARES

18 de agosto

Climério preso às 8h40 de ontem: – Fui traído por aqueles de quem mais esperava.

Carlos Lacerda reconheceu o criminoso.

Flores da Cunha: – Não acredito que se esteja cogitando de depor a Vargas.

19 de agosto

Esperados para breve elementos que apontem com precisão o mandante ou os mandantes do atentado.

20 de agosto

Gregório Fortunato indiciado e altamente comprometido no crime.

21 de agosto

Revela o criminologista Silvio Terra: evidentes e esmagadoras as provas contra Gregório Fortunato e Valente.

Reafirmam as Forças Armadas o seu propósito de defender a legalidade.

22 de agosto

Rigorosa prontidão das Forças Armadas.

Decisivas as próximas 48 horas.

Dutra insiste: a renúncia pessoal de Vargas solucionaria a atual crise política.

As "próximas 48 horas" foram mesmo decisivas. No Clube da Aeronáutica, brigadeiros exigiram a renúncia de Vargas. Ele respondeu: "Daqui só saio morto". A cúpula da Marinha e 27 generais do Exército se somam aos brigadeiros. E o presidente convoca uma reunião ministerial na madrugada do dia 24. Todos opinam, ninguém apresenta solução. Vargas decide: mantenham a ordem e eu me licencio.

É insuficiente.

24 de agosto

A segunda edição, ou o "segundo clichê", como se denominava, à época, a edição atualizada, traz a crise para a primeira página do *Diário*:

Madrugada dramática no Palácio do Catete
Licença de 90 dias

Na contracapa:

Vargas ao ministro: – Morrerei lutando de arma em punho.

Daqui (do Catete) só saio morto.

Fui eleito pelo povo brasileiro para governá-lo por cinco anos. Cumprirei meu mandato até o fim. Não renunciarei.

Getúlio se suicida. E o fogo da intolerância destrói o *Diário*

Getúlio, dias antes, chamara o filho médico.

– Lutero, onde fica mesmo o coração?

– Dois dedos abaixo do mamilo esquerdo.

O tiro foi exatamente ali. Poucos ouviram o estampido, no Palácio do Catete, às 8h35 da manhã do dia 24 de agosto. Mas quando o vozeirão de Heron Domingues, locutor oficial do "Repórter Esso", da Rádio Nacional, noticiou o suicídio, pouco depois, aquele único tiro foi um rastilho no país inteiro.

Em Porto Alegre, aglomerações. Na redação do *Diário de Notícias,* a pequena equipe convocada, às pressas, tratava de providenciar um "terceiro clichê", com a notícia. Na redação e nas oficinas, todos se imaginavam seguros. O prédio já fora sede de um banco, as grades das portas eram grandes e pesadas. Ouviam-se os gritos: "Abaixo o capitalismo estrangeiro", "Viva Getúlio".

Jornalistas, empresários, populares, policiais, todos viram o "negro alto, desembaraçado e abusado, ostentando vistoso olho branco porque vazado", conforme a descrição do jornalista Paulo Moreira. Conhecido pela alcunha de "Pirata", ele emergiu de seu habitat, as proximidades do mictório da praça da Alfândega, onde era o líder de um bando de lavadores de automóveis, ladrões de pequenos roubos, descuidistas e rufiões. Foi ele quem apanhou a foto de Getúlio Vargas, na sede do PTB. Na outra mão, um sarrafo. "Pirata" saltou à frente do grupo de manifestantes. E comandou:

– Vamo pro *Diário*.

Lembraram que o *Estado do Rio Grande*, jornal do Partido Libertador, era ali bem próximo.

– Então vamo lá.

Nada sobrou das instalações e do prédio.

"Pirata" seguiu em direção ao Largo dos Medeiros, onde havia uma multidão. Embrenhou-se, à frente de sua tribo.

Na redação do *Diário*, um estrondo. As grades desabaram. Houve apenas o tempo de correr para os fundos e fugir pela porta de acesso à rua General Câmara, por onde era feita a distribuição do jornal.

Dali, agora, saía apenas fumaça.

Os manifestantes, alucinados, aos gritos, jogavam no meio da rua mesas, cadeiras, rádios, papéis, máquinas de escrever. Tudo foi pisoteado e incendiado. Quando já nada mais restava, a turba seguiu pela rua da Praia, gritando palavras de ordem e quebrando tudo o que tivesse ligação com os Estados Unidos, a começar pelo Consulado americano. Também o prédio das Lojas Americanas. Subiram a Borges de Medeiros e, pelo Viaduto, alcançaram a esquina da Duque de Caxias. Ali ficava a sede da Rádio Farroupilha.

Pouco antes, Ênio Rockenbach vira quando "Pirata" e seus parceiros entraram no *Diário*, iniciando a destruição. Aos vinte anos, locutor da Rádio Farroupilha, subiu correndo a Ladeira, avisou os colegas do perigo. Equipamentos, móveis, tudo foi arremessado pelas janelas. Discos, também, "verdadeiras preciosidades fonográficas". Até o piano de cauda foi jogado para a rua. E um fósforo foi suficiente para começar o fogo. Uma "barbárie", conforme Rockenbach. Os funcionários conseguiram fugir pulando o muro de uma casa vizinha.

As labaredas tiraram a Farroupilha do ar.

Paulo Moreira, na esquina da rua General Câmara com Andrade Neves, virou-se para a direita e encontrou o olhar de Say Marques. Ele segurava uma metralhadora sob a gabardine e repetia, entre dentes:

– Esses comunas.

Olhou para a esquerda e reconheceu três policiais. Um deles provocou:

– Corre, estão botando fogo no teu pasquim.

Pelas janelas do segundo andar do prédio de esquina da rua da Praia com a General Câmara, Cláudio Candiota vê os escombros do *Diário*.

E contempla a figura destroçada do homem que ele conhecia tão bem, sempre elegante e cavalheiro.

Não parecia nem de longe ser Ernesto Corrêa. Seus sonhos estavam em cinzas. Ele era um amontoado de soluços.

24 de agosto de 1954. No ataque ao Diário, *um vândalo joga uma máquina de escrever pela janela momentos antes do prédio ser incendiado (Acervo do Museu Joaquim José Felizardo/Fototeca Sioma Breitman).*

Caderno B

1955-1979

Tempos e posturas dramáticos

24 de agosto de 1954. Depois do incêndio, os destroços na rua da Praia (Acervo do Museu Joaquim José Felizardo/Fototeca Sioma Breitman).

Março de 1957. Porto Alegre agora tem mais de meio milhão de habitantes. É uma capital moderna. Desapareceram as ruelas, restam poucos traços da cidade colonial, os ares são de metrópole. O Largo dos Medeiros e a praça da Alfândega continuam a ser os grandes espaços para o *footing* de todas as tardes.

Um grupo de jornalistas, vindos da rua São Pedro, desce dos carros estacionados junto às calçadas da rua General Câmara, atravessa o Largo dos Medeiros. Freqüentadores mais atentos assistem a uma cena incomum: o homem calvo, de porte médio, roupa escura, camisa branca e gravata vermelha pára à frente do espaço onde existira, até há pouco mais de dois anos, o prédio do *Diário de Notícias*. Restam paredes carcomidas pelo fogo.

O homem olha demoradamente o vazio. Segura, com a mão esquerda, a lapela do casaco, enquanto a direita busca, no bolso interno, a caneta. Num silêncio reverente, ele a arremessa em direção ao amontoado de sobras.

A caneta dourada rodopia no ar, cintila refletida no sol, sobe desarmônica, cai verticalmente.

Com ela, minutos antes, havia assinado, em nome dos Diários Associados, a compra do jornal *A Hora*, um negócio contestado por vários executivos da empresa. Por que aplicar dez milhões de cruzeiros num jornal deficitário e ainda sem tradição, em vez de investir no próprio *Diário*?

O homem calvo permanece mais algum tempo em silêncio. Ernesto Corrêa, a seu lado, entende o gesto simbólico de João Calmon. O mito ressucitado das cinzas. E a sentença sobre a Fênix: a fogueira de sua morte transforma-se no lugar de sua ressurreição.

Para ressurgir das cinzas com vigor, o *Diário* precisa de instalações e equipamento adequados. E para o *Diário* viver – naquela hora Ernesto não teve dúvidas –, Chateaubriand mataria *A Hora*.

Fundado por um grupo de empresários identificados com o Partido Trabalhista Brasileiro, liderados por Ernesto Di Primio Beck, *A Hora* tinha no comando da redação três nomes respeitáveis: João Maia Neto, Capitão Erasmo Nascentes e Josué Guimarães. No Departamento de Circulação, Ibanor Tartarotti, futuro presidente dos Associados e, à época, já um astuto executivo. Ele levou para o novo jornal não só a sua experiência, como a listagem completa dos agentes e correspondentes do interior do Estado.

Mas os prejuízos mensais de quase um milhão de cruzeiros fizeram com que Ernesto Di Primio Beck, o principal acionista, procurasse um acerto com Chateaubriand. Qualquer acerto. E para Chatô, o que importava, na verdade, eram os recursos gráficos e o prédio da rua São Pedro, 733, quase esquina com a avenida Farrapos, projetado e construído especialmente para jornal.

Já o *Diário* só tinha voltado a circular, em condições precárias, em março de 1955. Haviam sido sete meses dramáticos desde o comovente 24 de agosto de 1954, "aquele dia frio, carregado e ventoso, próprio para uma tragédia", como gostava de repetir um cronista da época.

Grande parte dos jornalistas sobreviveu graças aos vales patrocinados pelo faturamento da Rádio Farroupilha e a "bicos" em múltiplas atividades. Nas conversas de bar, durante muito tempo eles se perguntaram como havia surgido, no meio da multidão, aquele grito explosivo:

– Vamo quebrá. O *Diário* matou o dr. Getúlio.

Afinal, a postura crítica dos Associados sobre o presidente Getúlio Vargas, a partir da eleição direta, em 1950, fora bem mais tênue do que nos meses precedentes à queda do ditador, em 1945.

O *Diário de Notícias*, dez dias antes do suicídio, no editorial, "Dentro das prescrições constitucionais", pregava tranqüilidade:

> *"...Compreensível e justificada é a indignação despertada pelo atentado, como o é o desejo de ver punidos todos os responsáveis, sem exceção. O que, contudo, não se justifica é que, antes da devida apuração da verdade, integral e indubitável pela Justiça, se crie um clima passional de agitação e desordem, capaz de trazer intranqüilidades e abalos à vida do país..."*

Assis Chateaubriand tivera um encontro comovente com Getúlio, conforme ele relatou mais tarde, "...pela lealdade com que lhe falei, vendo-o magro, as faces pálidas e uma névoa importuna a boiar naqueles olhos redondos e vivos...".[79]

No artigo publicado dia 15 de agosto, em meio à crise instalada, Chatô receitava prudência:

"...Não se pode nem se deve reclamar a saída de um chefe de governo, dentro do quadro do regime presidencial, por motivos subalternos. É indispensável que existam fortes razões para que se elimine do posto de presidente da República um homem eleito pelo voto dos seus concidadãos...

...Não tenho dúvida alguma de que os dois crimes da rua Toneleros partiram da Guarda Pessoal do presidente. Nela deverão encontrar-se mandantes e mandatários. Mas se as diligências aí estão, conduzidas por autoridades insuspeitas, para a descoberta dos criminosos, diretos ou indiretos, o que espíritos justos têm a fazer é aguardar que as responsabilidades sejam definidas...".[80]

Quando foi comunicado do suicídio, logo ao chegar à redação de *O Jornal*, na manhã do dia 24, Chateaubriand se limitou a anunciar:

– Vou candidatar-me à vaga dele na Academia Brasileira de Letras.

Foi eleito, em fevereiro do ano seguinte, com 31 dos 34 votos possíveis e passou a ocupar a cadeira 37, "um paiol de pólvora, perpétuo, como o raio no firmamento", e que tem como patrono Tomás Antônio Gonzaga.

Chatô não fez qualquer comentário sobre os episódios de Porto Alegre. E nos dias posteriores, vários foram os artigos que publicou, analisando com simpatia a figura e o papel histórico do suicida:

"...Havia em Vargas vários homens diferentes. Um haverá de sobreviver todo-poderoso: é o bugre que amou desvairado a sua terra, a terra para quem o solo hirto, o chão pobre tinham coruscações de estrela".[81]

"...Trocou a vida pela morte. Assim agindo, pode não ter andado certo no conceito deste ou daquele, mas foi heróico, foi civicamente altivo, foi esteticamente belo – e moralmente generoso, pelo menos com os que o procuraram para dividir com ele o patrimônio de sangue que carregavam..."[82]

"...Vargas foi o último senhor de escravos deste país. Tinha uma

casa-grande e uma senzala onde juntava seus pretos, os pretos de estimação: Góis Monteiro, Oswaldo Aranha, João Neves, Juraci Magalhães, Alexandre Marcondes, Benedito Valadares, Batista Luzardo, Gustavo Capanema, e por que me excluir? Podiam seus pretos zangar-se com ele, mas Vargas nunca despediu, para sempre, um só deles. Ele tinha saudade dos seus pretos, e os pretos, dele...
...No fundo, Getúlio gostava de mim porque eu era um canalha igual a ele – que sabia que eu manobrava com ele quase sempre com o propósito de enganá-lo, como ele enganava a mim..."[83]

A idéia de ingressar com uma ação indenizatória contra o Governo do Estado, pela omissão das autoridades policiais nos tumultos, surge naquela mesma tarde de 24 de agosto, e o advogado escolhido foi Carlos Itiberê de Moura. O Exército só saiu às ruas, para restabelecer a ordem, quando já haviam sido contabilizados dezenas de feridos e três mortos. Durante o dia, os manifestantes circularam soltos pela cidade, quebrando e incendiando, sob os olhares pacientes e inertes dos maneteados policiais.

O *Correio do Povo* noticiou assim:

"...O assalto seguinte se verificou contra a redação e oficinas do Diário de Notícias. *Primeiramente, foram rompidas as portas do órgão associado, sendo jogadas à rua bobinas de papel e exemplares do dia, que foram queimados. A todas essas, tardavam as providências para pôr cobro às depredações, assumindo aspectos impressionantes as cenas de destruição. Em poucos momentos, ardia o prédio do* Diário de Notícias, *acorrendo guarnições de bombeiros, que não conseguiram debelar as chamas com a presteza requerida, ficando assim completa e lamentavelmente inutilizadas as instalações do jornal associado.*
Simultaneamente, era atacada a Rádio Farroupilha, que teve o mesmo e melancólico fim: ficaram de pé apenas as paredes do prédio onde funcionava aquela emissora, à rua Duque de Caxias. Ali se reproduziram cenas dramáticas, com funcionários detidos pelas chamas nos andares superiores da rádio, de onde foram salvos, alguns com ferimentos. Entre as pessoas que ficaram isoladas nos andares superiores durante o incêndio desse prédio, figura o sr. Gerson Borges que, ao tentar saltar lá de cima, fraturou a espinha. Também a Rádio Difusora, na rua 7 de Setembro, sofreu em cheio a fúria dos

manifestantes. O prédio em que funciona o Diário de Notícias, *que é alugado, ardeu até muito depois das 16 horas..."*

Três dias depois, a omissão tão criticada obriga o Governo do Estado a publicar na imprensa uma nota protocolar assinada pelo secretário do Interior, Ney Brito.

"...Se todos lamentamos os fatos ocorridos, não é lógico e não é justo que se aprecie agora a ação das autoridades e a atitude do povo com a frieza e a insensibilidade de quem porventura não tivesse sentido de perto, em toda a sua extensão e gravidade, os dramáticos acontecimentos.
O Governo está tranqüilo do seu procedimento, pois cumpriu, da maneira que lhe pareceu aconselhável, a missão que lhe cabia."[84]

Ernesto Corrêa continua desconsolado, não consegue entender a razão da violência. Ele havia procurado fazer sempre do *Diário de Notícias* uma tribuna democrática. E não apenas nas páginas do jornal. Também das sacadas do prédio.

O jornalista e escritor Flávio Tavares escreve, cinqüenta anos depois:

– Recordo-me de Ernesto Corrêa à porta do *Diário de Notícias*, no Largo dos Medeiros, conversando, respondendo e indagando, cumprimentando e sendo cumprimentado. Ali era "o centro do centro" de Porto Alegre, o lugar onde as pessoas se conheciam e passavam a ser amigas.

"O *Correio do Povo* era o mais lido, mas o jornal que mais se comentava era o *Diário*, mais ágil, bem escrito e moderno, ainda que o gosto conservador da época o chamasse de 'sensacionalista'. Mas não era por isso que ali era 'o centro do centro': no Largo se reuniam todos os grupos políticos ou desportivos, velhos ou moços, para falar sobre tudo. Nos fins de semana, o debate, sempre de pé, ia madrugada afora. Homens, na sua totalidade. Mulheres, raramente, e só durante o dia.

"Em outubro de 1953, no primeiro ano de faculdade, assumi a direção da União Estadual de Estudantes (UEE) como 'chefe do secretariado', equivalente a primeiro-ministro. A maioria das entidades estudantis universitárias era parlamentarista, por influência do Partido Libertador, de Raul Pilla. Havia uma greve nacional de estudantes de três dias e, não sei exatamente como, decidimos encerrá-la com um comício no Largo dos Medeiros, na noite de uma sexta-feira, às 21 horas, à saída da primeira sessão dos cinemas da rua da Praia, para os quais convergia a cidade inteira.

"Expus a idéia ao dr. Ernesto e pedi que cedesse as sacadas do *Diário*, para que dali, no primeiro piso do prédio, falássemos ao público. Ele concordou de imediato. O comício teve êxito total. O Largo lotou completamente, a multidão chegava à praça da Alfândega.

"A partir de então, duas ou três vezes mais, usamos as sacadas do *Diário* para comícios da UEE. No ano seguinte, fui eleito presidente da entidade universitária e arrebanhamos a UGES (União Gaúcha de Estudantes Secundaristas) para alguns movimentos conjuntos. No início de agosto de 1954, começo da crise que desembocou no suicídio de Getúlio Vargas, o dr. Ernesto novamente nos cedeu as sacadas para outro comício, de fato um debate em praça aberta sobre o que ocorria no país. E também à hora da saída dos cinemas...

"Convidamos um deputado de cada partido, para falar por cinco minutos, entre eles o uruguaianense Gregório Beheregaray, freqüentador assíduo do Largo. Dei-lhe a palavra, mas ele parou antes do final da primeira frase por uma vaia estridente, início de tumulto na assistência: ele era da UDN, a União Democrática Nacional, que pedia a renúncia de Getúlio. Tomei o microfone e repeti uma frase de Voltaire ('não concordo com uma só palavra do que dizeis, mas defenderei até a morte o vosso direito de dizê-las') e a vaia parou. E Beheregaray pôde concluir o discurso.

"Ao terminar o comício, quando nos retirávamos em meio às mesas dos redatores, o dr. Ernesto veio em nossa direção: 'Esta noite, vocês, os moços, nos deram uma lição de democracia!'

Só então vimos que toda a redação do *Diário* estava paralisada e, às nossas costas, ouvia o comício. Naquela época, os jornais de domingo eram feitos sábado à noite, mesmo, e lotávamos a redação do *Diário*, sem perceber que nossa presença criava problemas ao encerramento da edição. Nunca, no entanto, o dr. Ernesto nos advertiu sobre isso."

O *Diário* renasce das cinzas. Em galpões improvisados

Os prejuízos chegam a cinqüenta milhões de cruzeiros, ou um milhão de dólares, à época, mas o valor indenizatório é limitado, suficiente apenas para os arranjos indispensáveis à volta do jornal à circulação, em galpões antiquados da Empresa Madepinho. Estavam situados num amplo terreno, a redação e as oficinas com frente para a rua Sete de Setembro,

604, e a distribuição feita pela Siqueira Campos, 701. O equipamento gráfico era constituído de oito linotipos, três tituleiras e uma velha máquina impressora Marinoni, emprestada por Breno Caldas.

A quase totalidade dos jornalistas que acompanharam aqueles dias cinzentos exalta a atitude generosa, mas há pelo menos uma voz discordante sobre as boas intenções do líder da Caldas Júnior.

O mineiro Estácio Ramos, último diretor-geral dos Associados no Sul, defende uma tese: Breno Caldas, como bom estrategista, agiu de forma maquiavélica. Estácio não despreza as virtudes de Breno: exitoso homem de comunicação, proprietário de uma empresa poderosa como instrumento de mídia e como entidade de prestígio. Ao colocar à disposição do *Diário* um equipamento superado, incapaz de competir com a moderna "Hoe" do *Correio*, de um lado posava como homem magnânino, acima de eventuais interesses diante do concorrente, de outro, estava ajudando a sepultar o seu maior e mais combativo rival.

Havia, além disso, o temor de que empresas de comunicação do Rio e de São Paulo – o *Estadão*, em especial – decidissem investir no mercado gaúcho, ocupando o espaço aberto pelas fogueiras de agosto.

Teorias à parte, é certo que Breno Caldas, naqueles dias posteriores ao incêndio, recordou a Flávio Alcaraz Gomes a lamentada confidência que havia feito a Chateaubriand, enquanto atravessavam o oceano Atlântico, alguns anos antes.

Fora à hora do jantar, depois do uísque fidalgo da VARIG, no retorno de uma viagem aos Estados Unidos. Perguntado sobre a razão da viagem, Breno revelou ao dono dos Associados que acabara de encomendar para o *Correio do Povo* uma moderna máquina impressora. Chatô cumprimentou-o pela aquisição, pediu licença e foi à cabine de comando. De lá transmitiu uma ordem expressa a João Calmon: siga viagem imediatamente aos Estados Unidos e, em segredo, compre para o *Diário de Notícias* a melhor impressora fabricada pela Hoe. Com uma condição: que seja entregue em prazo inferior a do *Correio*.

A montagem da velha Marinoni, no galpão improvisado, demorou bem mais do que o tempo previsto pelo comandante das oficinas. Tudo estava projetado para que o *Diário* voltasse a circular em 1° de março de 1955, exatas três décadas depois da primeira edição. Dois dias antes, no entanto, Ezequiel comunicou a Ernesto Corrêa a necessidade de um adiamento, repetindo-se o que ocorrera na fundação do jornal, em 1925. No último teste, mais um problema entre tantos outros: o superaquecimento da impressora, resultante da fricção das engrenagens desgastadas. A solução improvisada foi o uso de um lubrificante para automóveis, bastante popular à época: o óleo Bardhal.

Anos depois, num texto exemplar, Ernesto, sempre elegante, definiria a Marinoni como valetudinária. Para não dizê-la enfermiça ou inválida.

Finalmente, no dia 6 de março, renasceu o *Diário*.

Na capa, um anúncio em quatro colunas:

...E CHEGAMOS A TEMPO PARA AS DUAS FESTAS

Sim, leitor amigo, fizemos o máximo esforço para chegar a tempo a estas duas festas: a festa da nossa volta ao teu convívio e ao teu serviço e a festa dos nossos trinta anos de atividades jornalísticas. Havia muito a fazer. Era uma casa inteira a reconstruir. E então, na ânsia de não faltar a esse encontro contigo, todos os membros desta grande família que é o teu Diário de Notícias *se transformaram em homens de sete instrumentos...*
Redatores, gráficos, revisores... o pessoal do escritório e das oficinas... acudiram todos a seus improvisados postos de trabalho, junto aos mecânicos que instalavam as máquinas, ombro a ombro com os pedreiros e carpinteiros que preparavam a nossa casa para a grande data!
Todos estiveram magníficos... E por isso pudemos chegar na hora certa a este momento de duplo significado para nós, voltando a assistir, com alegria, esse teu gesto amigo de abrir e percorrer, uma a uma, as páginas do teu velho DIÁRIO DE NOTÍCIAS...

O retorno foi festejado com um banquete gigantesco promovido pelas entidades tradicionais da agropecuária, da indústria e do comércio.

Entre tantos discursos, Ernesto Corrêa falou em nome do jornal e analisou o papel das empresas de comunicação:

"...O jornalismo moderno desempenha uma importante missão social. À quantidade e à qualidade nas notícias que leva às massas estão intimamente ligados o entendimento, o bem-estar, a compreensão entre os homens. Distantes estão os dias em que a imprensa pretendia formar e dirigir a opinião pública, através de suas atitudes e pronunciamentos. O jornalismo atual funciona,

sobretudo, como o grande mercado abastecedor de informações. Da solidez e seriedade dessas informações dependerá a solidez e a seriedade da opinião pública, a qual rege a ação política. Fácil, pois, é deduzir da extrema significação de que se reveste o jornalismo honesto e dos incontáveis perigos a que as formações humanas estão sujeitas, quando suas folhas claudicam na realização plena de sua missão social e ética.

Orgulhemo-nos, todos, da nossa imprensa. No Rio Grande do Sul nunca houve vaga para o jornalismo sensacionalista, a chamada imprensa amarela, que não é senão a deturpação maliciosa da coisa ótima. As poucas tentativas feitas viram frustrados seus propósitos subalternos pela pronta, radical, definitiva reação do povo rio-grandense. Combatemos o sensacionalismo jornalístico como uma doença tão perigosa para a Imprensa como o é a demagogia para a Democracia e o militarismo para as Forças Armadas. Fazemos jornalismo como um sacerdócio, como preceptores, como magistrados, como o amigo fiel e insuspeito que cada manhã ou cada tarde bate à nossa porta, trazendo-nos uma mensagem sempre nova de fé, uma mensagem de confiança, de bom humor, de fraternidade e de concórdia. Fazemos do jornalismo a história do drama da vida na hora que passa, graduada em extensão e interesse. Mas jamais consideramos esse conceito de dramaticidade e interesse em termos que possam afetar os ditames sentimentais, as normas cristãs, os inflexíveis princípios morais que presidem o comportamento da gente gaúcha.

Por isso, nós, do Diário de Notícias, *recebemos e agradecemos esta homenagem excepcional – a primeira que o Rio Grande, por suas classes representativas, presta a um jornal – como uma distinção máxima não apenas ao* Diário de Notícias, *ao ensejo de seu reaparecimento ao completar o trigésimo aniversário, mas como um preito de reconhecimento e de solidariedade a toda nossa imprensa..."*[86]

No inverno, o vento, vindo do Guaíba, penetrava pelas frestas das paredes de madeira dos velhos galpões. O jirau onde estava instalada a redação enregelava ao entardecer. E Ernesto Corrêa concordou com mais uma idéia maluca daqueles homens que gostavam de usar bota e bombacha: utilizar o fogo da fundição de chumbo das linotipos para aquecer a água do mate.

Sadi Scalante, de profissão linotipista, havia sido feito redator responsável pela pioneira coluna "Tradição", idealizada e orientada por um jovem estudioso dos costumes gaúchos, o escritor Barbosa Lessa. Logo foi ampliada para uma página e transformada em porta-voz de um incipiente Movimento Tradicionalista. Luiz Alberto Ibarra, Antônio Augusto Fagundes e Madruga Duarte também foram redatores da "Tradição" e, com ela, ajudaram a criar a Estância da Poesia Crioula.

Não demorou, foi improvisada uma churrasqueira e os jornalistas cotizavam-se na compra da carne para o churrasco no final do expediente. O galpão, denominado "Negrinho do Pastoreio", tornou-se sala de visitas e, aos sábados, quando o jornal começava a ser rodado, o churrasco passou a ser partilhado com todo o pessoal das oficinas.

Ernesto Corrêa, certo dia, convidou um grupo de alunos para confraternizar, mas esqueceu de avisar os responsáveis pelo galpão. Quando os assadores habituais, Bolívar Madruga Duarte e Luiz Alberto Ibarra, chegaram ao jornal, lá estavam os jovens, parodiando o "Samba do Arnesto", de Adoniran Barbosa:

"O Arnesto nos convidou/
pr'um churrasco lá na redação/
Nóis fumo, não encontremo ninguém/
Nóis vortemo, com uma baita de uma raiva/
Lá no galpão, nóis num vai mais".

Madruga e Ibarra trataram de providenciar tudo com rapidez, e o churrasco acabou acontecendo.

O jornalista Rui Pratini, responsável pela cobertura do setor agropecuário, havia conseguido junto ao então Instituto de Carnes o fornecimento diário e gratuito de cinco quilos de costela bovina para o churrasquinho da madrugada. Bastava retirá-la numa banca do Mercado Público, tarefa de que estava incumbido o contínuo Leôncio, vulgo "Tatinha".

O galpão "Negrinho do Pastoreio" deixou de existir com a mudança do jornal para a avenida São Pedro. Isso não impediu, no entanto, que o diligente "Tatinha", durante muito tempo, depois disso, continuasse a visitar diariamente o Mercado. A carne ele a vendia, a preços compensadores, entre os vizinhos do bairro Partenon.

Sobre esses tempos, diz o jornalista e teatrólogo Edison Nequete:

– Revejo o *Diário de Notícias*, por mais estranho que pareça, como um enorme salão de festas. Estávamos ali, literalmente, no mesmo barco. Não havia mesas separadas. Nem o comandante supremo, Ernesto Corrêa, ocupava lugar privilegiado. Pelo menos, por mais que busque na memória, não encontro nem ele, Say Marques ou Candiota isolados do pessoal da redação, da revisão e até mesmo dos contínuos.

"Mal comparando, o estilo *Diário* tinha qualquer coisa de roda de samba. Ao ouvir uma frase solta no ar, algum compositor citava o bordão existente desde os tempos da tia Ciata: 'Isso dá samba!'. E quantas vezes um simples comentário sobre algum fato novo surgido na cidade gerou série de reportagens. Em verdade, o *Diário* era um jornal de raro dinamismo. E um bom espelho da sua amada Porto Alegre.

"Eclético e, por que não dizer, ecumênico, creio ter sido um dos primeiros jornais, no país, a abrir colunas para as religiões afro-brasileiras. E a tratar, seriamente, na pena privilegiada de Décio Freitas, de temas seríssimos. Pioneiro também por ter abrigado, durante anos, as crônicas popularescas de Antônio Onofre da Silviera, dentista e boêmio (lua na alma e estrelas no peito). Mas, não custa frisar, a importância de ter dado guarida ao Movimento Tradicionalista, valendo mencionar Manoelito de Ornellas, Barbosa Lessa, Paixão Cortes, entre outros."

"Eclético, ecumênico", o jornal lança, naquele final de 1955, em conjunto com a Pepsi-Cola, então líder do mercado de refrigerantes, uma promoção inusitada: "Dê um ônibus ao seu clube". Um sucesso. Cupons do *Diário* e tampinhas da Pepsi valiam votos para os torcedores dos clubes gaúchos. O vitorioso ganharia um ônibus especial da Pepsi; havia prêmios mensais para os votantes. Depois de um ano de cobertura quase diária, ao encerrar-se o concurso, a surpresa: o campeão foi o Aymoré, de São Leopoldo, com a incrível soma de 22.761.618 votos, seguido do Pelotas, com 15.470.117. É certo que, para os clubes do interior, cada voto era multiplicado por quatro. De qualquer forma, o Aymoré teria sido campeão, pois o Grêmio, melhor colocado entre os clubes da capital, foi o quarto lugar no geral, com pouco mais de dois milhões de votos.

Nasce a Feira do Livro. Uma iniciativa do *Diário*

– Uma feira do livro? – pergunta Ernesto Corrêa.

– Sim... é isso... – responde Say Marques.

Entre as preocupações do Major, naquela incerta primavera de 1955, o cenário político tinha prioridade. Juscelino Kubitscheck fora eleito presidente da República, dias antes, com escassa maioria de votos, e Carlos Lacerda passara a comandar o movimento para impedir a posse do líder mineiro. As alegações da UDN: fraudes na votação, o voto dos comunistas em JK e, em especial, a tese da falta de maioria absoluta. Juscelino havia feito 3,1 milhões de votos contra 2,6 milhões de Juarez Távora e 2,2 milhões de Ademar de Barrros.

Lacerda proclamou, na edição de 9 de novembro do seu jornal *Tribuna da Imprensa*: "Esses homens não podem tomar posse".

Nesse mesmo dia, o presidente Café Filho licencia-se, por doença, e Carlos Luz, presidente da Câmara, ligado aos golpistas, assume.

É uma história que Ernesto gostava de lembrar, com o passar dos anos, como um dos fatos mais incríveis da vida política do país: um golpe de legalidade para evitar o golpe. Ou um contragolpe.

O general Henrique Teixeira Lott, ministro da Guerra e defensor da posse dos eleitos, exigia a punição do coronel Bizarria Mamede, por incitação à ilegalidade. O coronel havia declarado o resultado da eleição como a "vitória da minoria" e uma "indiscutível mentira democrática".

Acima e ao lado anúncios da década de 60: A extinta Panair e o célebre musical Minha Querida Lady, *enorme sucesso baseado no texto* Pigmaleão *de Bernard Shaw.*

Negada a punição de Mamede, Lott demite-se, aciona os tanques da Vila Militar, cerca o Palácio do Catete, as bases aéreas e navais. Carlos Luz e Lacerda refugiam-se nas águas da Guanabara, a bordo do cruzador *Tamandaré*, e tentam resistir, com apoio da Marinha. Mas o Congresso, no mesmo dia, empossa na Presidência o senador catarinense Nereu Ramos, presidente do Senado, o próximo da linha sucessória. Com o apoio de Lott, Nereu impõe o estado de sítio e mantém o país sob controle até a posse de Juscelino, em janeiro do ano seguinte.

Ernesto pergunta outra vez:

– Uma feira de livros?

– Sim, livros com descontos, vendidos em plena rua – respondeu Say Marques. Ele estava encantado com o espetáculo que havia contemplado na capital da República: uma feira do livro em plena Cinelândia. Say, desembarcado do quadrimotor da VARIG, vindo do Rio de Janeiro, foi direto para a redação do jornal. Precisava da concordância de Ernesto Corrêa.

Da conversa, surgiu não apenas a aprovação, mas também o local idealizado: a praça da Alfândega, onde havia começado a barafunda de vozes responsável pela tragédia de agosto do ano anterior. Aquele era o lugar adequado para uma feira destinada a plantar saber e cultura em contraposição aos gritos da intolerância e da insensatez.

Tudo foi decidido sem vagares. Poucos dias depois, Henrique Bertaso, "pelos livreiros e editores" e Say, "pelo *Diário de Notícias* e Rádios Associados", assinavam a correspondência oficial ao secretário da Educação e Cultura do Estado, Liberato Salzano Vieira da Cunha:

"O plano é o seguinte:

1 – No centro da praça da Alfândega, serão levantadas, pelos livreiros, tendas simples e removíveis, mas apropriadas à exposição e venda de livros.
2 – Os livros serão vendidos ao povo com abatimentos variáveis sobre o preço de capa.
3 – Serão promovidas atrações que façam o povo acorrer ao local e tomar o máximo interesse pela feira.
4 – As tendas serão armadas de modo que o povo tenha a maior facilidade e a maior sedução pelos livros expostos, desde os de caráter infantil até os técnicos e científicos.
5 – A inauguração da feira será feita com um discurso do secretário de Educação e terá a presença do Governador do Estado e do Prefeito, bem como os intelectuais, para que assim prestigiada possa atingir a finalidade que se lhe prognostica: criar leitores para trinta mil livros em quinze dias.
6 – Diariamente teremos, se for obtida, como se espera, a cooperação dos intelectuais, uma palestra, na praça, para o povo, sobre o tema – o Livro – de sorte a estimular, entusiasmar, educar o povo na sua aquisição.
7 – A Secretaria de Educação e Cultura, por sua vez, através de sua Divisão especializada, sorteará, diariamente, entre os compradores da Feira, livros selecionados, com conteúdo altamente educativo, num valor de ordem que se imagina de Cr$ 1.500,00 por dia.
8 – À Prefeitura cabe uma contribuição prática e simples: iluminação feérica do local e isenção de impostos e taxas, além da cessão da praça para esse fim, no período previsto de quinze dias.
9 – O Diário de Notícias *e Rádios Associados se empenharão, com os recursos de que dispõem para a mais ampla repercussão da iniciativa,*

fazendo com que seus leitores e ouvintes afluam à feira com o entusiasmo que, com ela, se deseja permanente no povo pelo Livro. Dispensamo-nos, senhor Secretário, de maiores detalhes e considerações. O plano acima diz da importância do acontecimento para a nossa cidade. Antiga a iniciativa na Europa e repetida há dois anos no Rio e São Paulo com absoluto êxito, representa, em verdade, fator incisivo na tarefa de educar em massa o povo, aproveitando, por todos os meios, as concentrações urbanas e quebrando, a seus olhos e por esse modo, a rotina dos velhos métodos de oferecimento da cultura através do livro, servindo-se de ideais e recursos publicitários novos e dinâmicos..."[86]

E assim aconteceu. Com um dia de atraso, por culpa da chuva "inesperada e intensa"[87], a I Feira do Livro de Porto Alegre foi inaugurada no dia 17 de novembro de 1955 e tornou-se, com o passar dos anos, o mais importante acontecimento cultural da capital gaúcha. Graças a Say Marques e ao *Diário de Notícias*, embora nem sempre isso se reconheça de forma devida.

Chatô embaixador. Graças ao discurso de Passo Fundo

Em dezembro, antes que o ano terminasse, Nélson Dimas de Oliveira passa a fazer parte do expediente do jornal. João Calmon, eleito diretor-geral da empresa para todo o Brasil, coloca homens de sua confiança em postos-chave. Dimas veio para o Sul, chegou aqui em maio, para ajudar no processo de reconstrução das empresas, depois do incêndio.

Ernesto Corrêa continua a comandar o jornal, é sua a filosofia editorial. Nélson Dimas de Oliveira fica responsável pela área administrativa e financeira. Fica com a chave do cofre. Fica com o poder.

A situação econômico-financeira das empresas de Chateaubriand, no seu conjunto, é preocupante. João Calmon e Edmundo Monteiro, os dois executivos mais destacados do grupo, assinam uma carta alertando Chatô sobre a gravidade do quadro: ou se reverte isso a tempo, ou o caminho é a insolvência. Decide-se realizar um congresso com a participação de todos os principais executivos da empresa.

"Grande e luminosa caravana de paus-de-arara do Brasil inteiro!

(...) Somos um rio, longe, muito longe ainda da sua foz. Ele mal começa a correr. Imagine-se que agora é que os protagonistas do drama da unidade nacional, que entramos a viver faz trinta anos, se encontram para se conhecer. Não ajustaram suas vestes, não estudaram seus papéis, para entrarem em cena. Estão aqui desengonçados e acaipirados. Vamos, agora, trabalhar, que o tempo passa pelo buraco da agulha das horas."

Com esse discurso, bem ao seu feitio, Assis Chateaubriand saudou os 85 congressistas, todos dirigentes das empresas que participaram do 1° Congresso dos Diários e Emissoras Associados, iniciado na sede do MASP, na capital paulista, em 11 de outubro de 1956, e concluído cinco dias depois, em Guarujá.

A metáfora usada por Chatô, a falar de um rio longe de sua foz, não esconde o absurdo de uma empresa do porte dos Associados a reunir seus dirigentes pela primeira vez em trinta anos, para definir caminhos e filosofias. E, se os papéis não tinham sido estudados e as vestes ajustadas, isso sempre foi uma característica da empresa.

Ernesto Corrêa estava lá, à frente da comitiva gaúcha, junto com Nélson Dimas de Oliveira e outros sete dirigentes Associados do Sul: Ruy Rezende, Franklin Peres, Salvador Rosito, Mário Sirpa, Ruy Teixeira, Francisco O'Donnel e Robson Flores.

Paulo Cabral, mais tarde presidente dos Diários Associados e da Associação Nacional de Jornais, também foi e lembra a participação de Ernesto:

– Quando se tratava da área dele, do Rio Grande do Sul, ele falava de cadeira, porque dirigiu o jornal durante muitos anos e era, sem dúvida, na sua época, o jornalista de maior conceito, de maior prestígio. Eu não falo em proprietário de jornal, eu falo em jornalista, o homem do batente diário na redação.

– E a posição dele sobre os Associados?

– Era um diretor sofrido. Enfrentou muitas crises políticas que comprometeram a vida e a circulação do jornal. Então, ele concordava com as idéias de uma modernidade administrativa e pensava como nós todos, que defendíamos a mesma tese pelo futuro da empresa.

Mas a preocupação de Chateaubriand não estava direcionada para as suas empresas; naquele momento, ele havia decidido reivindicar o posto de embaixador do Brasil na Inglaterra. E nada o faria desistir desse propósito. Juscelino Kubitschek, logo depois de assumir o governo, na tentativa de evitar a nomeação e achegar-se a Chatô, convida-o para acompanhá-lo a Erechim.

Fevereiro de 1956, encerramento da VI Festa Nacional do Trigo. Na hora principal do festejo, Juscelino designa-o para falar em seu nome. Chatô olha nos olhos o presidente da República, o vice João Goulart, o ministro da Agricultura Mário Meneghetti, o governador do Estado, Ildo Meneghetti, o bispo diocesano D. Cláudio Colling, os presidentes de associações de plantadores de trigo de todo o Sul do país.

E proclama:

> *"Ó gaúchos... Possuís solos demasiado ricos para desvalorizá-los com uma cultura pobre como a triticultura, hoje em regime de superprodução em todo o mundo.(...) Nos cadernos da prateleira de minha farmacopéia tenho receitas e medicinas únicas para o vosso engrandecimento econômico. De que vos falo? De capim. Capim para quê? Para dar de comer a ovelhas. (...) Quando vos tornares plantadores de capim e criadores de ovelhas, o que auguro para esta terra é um futuro dez vezes maior do que este presente humilde e pequeno de lavradores de trigo. (...) Abandonai definitivamente o trigo! Plantai capim, dai de comer a ovelhas, enchei vossas burras de dinheiro – tereis dinheiro mais que suficiente para importar carros, champanhe e mulheres francesas para o vosso deleite. Muito obrigado, gaúchos."*[88]

Juscelino entende o recado, não há mesmo outra saída. Na viagem de retorno ao Rio de Janeiro, comunica a Chatô que vai nomeá-lo embaixador.

Morte de Pio XII. A incrível história de um "furo" sem comprovação

Um dos mais famosos "furos" do *Diário de Notícias* e um dos episódios que, pelas circunstâncias e pelos personagens envolvidos, tornou-se referência na história da imprensa gaúcha, ocorreu por ocasião da morte do papa Pio XII, em 9 de outubro de 1958. E, no entanto, sua comprovação, passadas tantas décadas, tornou-se um mistério.

Que o "furo" ocorreu parece não haver dúvida.

Breno Caldas, no livro *Meio século de* Correio do Povo – *Glória e agonia de um grande jornal*, em 1987, ao responder à primeira pergunta do jornalista José Antonio Pinheiro Machado, sobre a indiscutível credibi-

DIARIO DE NOTICIAS

ENLUTADO O MUNDO CATÓLICO

MORREU O PAPA

AS 3,52 (HORARIO DE ROMA) O DESENLACE APOS LONGA AGONIA

PIO XII: UM HOMEM DE PAZ

ASSENTADAS POR PIO XII AS NORMAS PARA A SUA SUCESSÃO

PONTIFICADO DO "PAPA DA PAZ" ABRANGE UM DOS MAIS AGITADOS PERIODOS DE TODA A HISTORIA

FIGURAS ECLESIASTICAS MAIS EM EVIDENCIA PARA A SUCESSÃO DE PIO XII

DADOS BIOGRÁFICOS

FALAM AS URNAS

20 Paginas

lidade do róseo, citou esse "furo" como símbolo de um mito: "Se não deu no *Correio do Povo*, não é verdade...". O próprio Breno detalhou:

"Na década de 50 ocorreu um episódio curioso que ilustra bem isso. Foi numa época em que os Diários Associados estavam investindo muito no Diário de Notícias, *jornal que fazia concorrência ao* Correio. *Nós tínhamos contrato de exclusividade para o noticiário internacional da agência Associated Press, que nos chegava pelo teletipo, e o Diário tinha o serviço da United Press. Eu sempre gostei mais da AP, mais sóbria, mais cautelosa... eu diria... mais* Correio do Povo*! Contudo, certo dia o* Correio *levou um tremendo furo do* Diário. *Foi na morte do papa Pio XII. A United Press mandou a notícia da morte de Pio XII para os jornais que assinavam o seu serviço – entre eles, o* Diário de Notícias *de Porto Alegre. E a AP também mandou aos seus assinantes a informação, que, entretanto, não foi captada, por descuido do nosso telegrafista de plantão. Assim, no outro dia, o* Diário *noticiava a morte do papa em manchete... e o* Correio *não tinha uma linha sobre o assunto! Mesmo assim, foi a oportunidade de constatar o nosso prestígio: o telefone da redação não parou durante o dia inteiro, muitas pessoas, duvidando da manchete do* Diário, *queriam saber por que o* Correio *não tinha noticiado. A surpresa maior viria quando o então arcebispo metropolitano, Dom João Becker, me procurou para uma confirmação: como o* Correio *não deu a notícia, ele estava hesitante em declarar luto oficial... Aí eu disse ao arcebispo: 'Pode declarar o luto, Dom João. O papa morreu mesmo'".*

Alberto André era o plantonista na redação do *Correio do Povo*, na madrugada da morte do papa. Provocado pelo depoimento de Breno Caldas, André descreveu em minúcias o episódio, numa crônica publicada em seu livro *50 anos de imprensa*:

> *"...O papa Pio XII, nascido em Roma, dia 2.3.1876, com o nome de Eugênio Pacelli, eleito papa em 1939, em momento conturbado da vida internacional, destacou-se pelas mensagens à paz, publicação de diversas encíclicas e alguns dogmas, um dos quais proclamando o de Nossa Senhora da Assunção, várias concordatas e regularização das relações do Vaticano com a Itália.*
> *Pio XII morreu em 9.10.58 em Castel Gandolfo, na manhã de uma quinta-feira. Aqui, no* Correio do Povo, *rival do outro grande jornal da época, o* Diário de Notícias, *havia profunda preocupação em dar a informação, eis que o Sumo Pontífice se achava mal. De 1943 a 1959, tínhamos sob nossa responsabilidade a página de notícias mundiais do* Correio do Povo. *Às quatro da madrugada, conforme a rotina da Agência Associated Press, a transmissão foi suspensa, nessa hora publicando-se nota dos médicos do papa de que "ele estava bem de saúde e se recuperando". Encerramos os trabalhos, o jornal rodou na impressora e seguiu para seus leitores. Na manhã seguinte, foi um desastre. Pio XII tinha mesmo falecido, o* Diário de Notícias *deu em destaque, enquanto nosso jornal saía com o boletim médico favorável... Em nosso mais de meio século de atividade jornalística, foi o maior vexame que este colunista passou".*

Também o jornalista Walter Galvani, em *Um século de poder*, sobre os bastidores da Caldas Júnior, refere o episódio em detalhes, depois de lembrar que, à época, "o *Diário de Notícias* estava realmente incomodando. Era o primeiro que chegava a roçar a liderança firmada desde o início pelo *Correio*":

> *"...Ernesto Corrêa dirigia o* Diário *com a sua flama e sua garra e uma indiscutida capacidade profissional".*

E lembra que, no *day after*, ele nem foi dormir:

> *"...Passou em casa, banhou-se para tirar o sarro do trabalho noturno, trocou de roupa e foi fazer a barba no barbeiro, na rua da Praia, para deliciar-se com o tremendo 'furo' que enfiara nos competidores. Ele próprio contava a cena:*

Como o barbeiro custasse a falar no assunto, viu-se obrigado a puxá-lo, ele mesmo:
– Com que, então, o papa se foi, hein?
– É... – responde-lhe o "velho" Amaro. – O Diário *vem com essa aí. O* Correio *não. Vamos esperar o* Correio *de amanhã para ver se é mesmo verdade!*
Ernesto Corrêa deu um safanão, arrancou a toalha, saiu em disparada da barbearia, profundamente irritado, deixando o Amaro com a navalha no ar..."

Tantos testemunhos. E unânimes.

Uma grande surpresa, no entanto, aguarda o pesquisador atento, que se dispuser a examinar os exemplares das coleções do *Diário* e do *Correio* existentes no Museu Hipólito José da Costa e nos arquivos da Caldas Júnior: a notícia da morte do Papa Pio XII é manchete dos dois jornais nesse dia 9 de outubro de 1958.

Busquei explicações no contato pessoal com velhos parceiros de jornalismo da Caldas Júnior e inclusive com dona Francisca, a guardiã do arquivo do *Correio* e de tantos segredos da casa. Ela é imperturbável: vale o que está nas coleções. Doutor Breno, aliás, nunca lhe falou sobre nada disso.

Há, no entanto, quem admita uma hipótese capaz de explicar e justificar essa história: o secretário de redação, um editor, ou até mesmo algum gráfico experimentado da Caldas Júnior, providenciou a impressão de exemplares especiais, com a manchete da morte do Papa na mesma data do "furo" do *Diário*. E tratou de substituir os exemplares das coleções públicas. Com a concordância ou à revelia do dr. Breno Caldas, quem há de saber.

A ser verdadeira essa hipótese, ainda assim sobrevive, para qualquer estudioso, uma grande dúvida: de um lado, o testemunho dos personagens; de outro, a prova material.

Faveco adoece. E começa o fim dos privilégios para jornalistas

Para se contrapor à força do *Correio do Povo*, haja criatividade. O *Diário de Notícias* anuncia, em dezembro de 1958, um inédito serviço de transporte de correspondência para os veranistas das praias gaúchas, a partir de 1° de janeiro do ano seguinte:

"Colaborando com o Departamento de Correios e Telégrafos, o Diário de Notícias *e* A Hora *farão o transporte regular de correspondência para as praias do Atlântico nesse verão. É uma iniciativa destinada a obter grande repercussão, pois influirá de maneira decisiva para a marcha normal desse serviço de indiscutível utilidade pública. (...) A entrega aos destinatários, nas praias, será feita por intermédio dos distribuidores de venda avulsa..."*

Antes que chegasse ao fim a década de 50, Ernesto Corrêa enfrenta outro enorme drama pessoal: Faveco adoece gravemente.

Último dos seus cinco filhos, Flávio Antônio Artur Oscar Alcides Corrêa – assim chamado em homenagem aos avós, Alcides Corrêa e Artur Oscar de Souza, Faveco já militava no jornalismo, como colunista social.

Tinha iniciado como fotógrafo, por obra e graça de seu tio Luiz, irmão de Ernesto. Adido comercial da embaixada do Brasil no Canadá, jornalista e político, ex-deputado pelo PTB carioca, Luiz Corrêa também era chamado pelos sobrinhos de "tio Nylon", por trazer a mala sempre repleta de camisas e tecidos de nylon, uma raridade no Brasil. Numa de suas tantas vindas, trouxe para Faveco uma máquina fotográfica. Curioso, logo ele procurou Rudy Schwantz, chefe do Setor Fotográfico do *Diário de Notícias,* para aprender os fundamentos daquela arte.

– Até que em 1958 – relembra Faveco – Célia Ribeiro me convidou para escrever em *A Hora* sobre gente jovem, um tema inédito no jornalismo até então. E surgiu a coluna "Uma garota por semana". Essa porta que a Célia abriu me deu dupla satisfação: a de iniciar no jornalismo e, o que não era menos importante, a chance de conhecer uma bela garota por semana... É claro que eu selecionava aquelas que ocupavam maior espaço nas minhas fantasias juvenis. A partir daí, seguindo os passos do meu primo Geraldo Moreira, grande colunista social do *Diário de Notícias*, comecei uma página inteira no tablóide feminino dominical do *Diário*, intitulada "Gente jovem faz notícia". Tenho a impressão de que a coluna de *A Hora* e depois a do *Diário* foram pioneiras no Brasil, transformando *teenagers* em notícia.

"Naquela época não se ganhava dinheiro no jornalismo, mas se ganhava notoriedade e prestígio, 'moedas' que se traduziam naquilo que, para um guri da classe média, era tão importante quanto 'grana': convites, aventuras, bocas-livres, acesso aos salões reservados à aristocracia rural e aos ricos, e conexões pessoais que se transformaram na base da minha carreira de jornalista (*A Hora*, *Diário de Notícias*, *Clarim*, *TV Piratini e, em 1972, TV Record de São Paulo*) e de publicitário, que me levou por um largo trajeto que comêçou na rua Luiz Afonso, na Cidade Baixa, até Londres e Nova York, passando pelos cinco continentes.

"Qualquer dias desses eu volto, quem sabe, com a coluna 'Gente velha faz notícia', que certamente terá grande repercussão. Porque a terceira idade, infelizmente, ainda não é notícia, como gente jovem não era quando comecei."

O mal de Faveco nunca foi identificado com clareza. Pelo menos não está claro na crônica da família. Chateaubriand, embaixador na Inglaterra, mandava, via malote diplomático, remédios usados na Europa em tratamentos experimentais. E Lamaison Porto, então secretário Estadual da Saúde, amigo de Ernesto e chefe de Faveco, cuidava de superar a burocracia para a entrada desses remédios não licenciados no país. Essa ponte aérea mantinha Faveco com fios de esperança e de vida. Passados trinta anos, Silvana, filha de Lamaison Porto, tornou-se a segunda mulher de Fernando Ernesto Corrêa, e tiveram um filho, Ramiro.

Depois de meses e meses de tortura famíliar, o professor e cardiologista Eduardo Faraco, no retorno de um congresso médico nos Estados Unidos, procurou Ernesto Corrêa.

Um diálogo sem rodeios:

– O Faveco está morto, não tá?

– Tá, tá praticamente morto – respondeu Ernesto.

– Já comprou o caixão?

– Já, já comprei.

– Já tem lugar para enterrar ele?

– Já, já tem.

– Posso tentar, então, o tratamento que aprendi no congresso de que acabo de participar?

– Pode.

Faveco passa a tomar uma dose fantástica de penicilina e, aos poucos, melhora. Ou ressuscita, conforme o folclore familiar, ao qual se deve atribuir também o teor desse diálogo entre Faraco e Ernesto.

Estava chegando ao fim um tempo de jornalismo pouco profissional. O experimentado homem de comunicação Madruga Duarte resume:

– Não pagávamos Imposto de Renda. Tínhamos 50% de desconto em passagens aéreas para qualquer lugar. Aceitávamos empregos públicos, nos quais não precisávamos trabalhar. Enfim, tínhamos, muitos de nós, os rabos presos.

Já o jornalista Lauro Schirmer, que iniciou sua carreira como correspondente do *Diário de Notícias* em Cachoeira do Sul, detalha, em seu livro sobre o jornal *A Hora*:

> *"...Essa troca de favores entre governos e jornalistas, com respaldo dos veículos, hoje pode parecer chocante, mas era coisa rotineira nas décadas de 50, 60. E quanto mais importante o jornal, maior o número de jornalistas placas brancas, cuja lista, naturalmente, era naquele tempo encabeçada pelos colegas do* Correio do Povo. *Um deles, por exemplo, a cada semana fazia publicar na última página do* Correio *a foto de uma obra em execução pela Secretaria na qual estava lotado. E eram tempos – impõe-se fazer este mea-culpa – em que a proximidade com o poder permitiu aos jornalistas passarem a obter muitos privilégios legais, desde jornada de trabalho de cinco horas (para facilitar um segundo emprego) até a isenção de Imposto de Renda na remuneração como jornalista, desconto de 50% nas passagens aéreas e isenção de Imposto Predial em residência própria, aqui em Porto Alegre. Com exceção do privilégio da jornada de trabalho, os demais, felizmente, foram revogados. E justiça se lhe faça, foi a Revolução de 64 que pôs fim a essas excrescências".*

Preocupado com o futuro das suas empresas, e às voltas com brigas e desacertos intermináveis com a família, Assis Chateaubriand decide criar o Condomínio Acionário dos Diários Associados, numa engenharia jurídica encomendada a alguns dos melhores especialistas do país: Vicente Ráo, Nehemias Gueiros e Hélio Dias de Moura.

Instituição inusitada em nosso Direito, o Condomínio resiste até hoje às inúmeras ações contra ele interpostas pelos descendentes do fundador dos Associados. Na prática, Chatô entregou o comando e propriedade de suas empresas a vinte e dois dos mais destacados colaboradores. Com uma condição: nenhum condômino poderia ceder suas cotas e, à morte de cada um deles, os demais deveriam escolher um substituto com esses mesmos direitos e deveres. Chatô e seus 22 apóstolos. Entre eles, Ernesto Corrêa, considerado por Victor do Espírito Santo, no livro de Glauco Carneiro sobre a história dos Diários Associados, uma das seis mais expressivas figuras que passaram pela empresa ao longo de sua história.

Naquele final de 1959, havia uma falsa aparência de solidez nos Associados, graças à incorporação, ao grupo, do *Jornal do Comércio,* do Rio de Janeiro, dos preparativos para a instalação de canais de televisão em Salvador, Recife e São Paulo, e da inauguração, em Porto Alegre, de mais um canal dos Associados, a TV Piratini.

Em 28 de fevereiro de 1960, Chatô sofre dupla trombose cerebral. Torna-se tetraplégico. Inicia o seu calvário pessoal, com tratamentos desesperados e intermináveis. Ultrapassadas todas as tentativas de recuperação, Chatô decide voltar à vida e a seu ritmo alucinante, agora em cadeira de rodas. Torna-se amargo. É cáustico com os inimigos e até mesmo com seus subordinados.

Cláudio Kuck, recém-formado e já trabalhando no *Diário*, foi escalado para cobrir uma visita de Assis Chateaubriand a Porto Alegre:

– Ele iria batizar um bezerro no recém-criado banco de sêmen da fazenda Chambá. As mais altas autoridades e todo o primeiro time dos Diários Associados do Estado estão no aeroporto Salgado Filho, esperando o chefe, que desce empurrado em sua cadeira de rodas, vestido com sua farda de coronel da força pública, como gostava de fazer, para chocar a platéia. Há uma corrida, cada um querendo chegar primeiro e beijar as mãos do Velho Capitão, que se diverte com a cena. Foi então que vi o jornalista Ernesto Corrêa – um dos condôminos dos Diários – recuar meio sem jeito. Perguntei o que acontecia e ele ironizou: 'Assim não dá, não entro nesta onda de puxa-saquismo'. Ficou observando de longe até ser chamado por Chatô que, ao contrário do tratamento debochado atribuído aos demais diretores, o saudou com o maior respeito. Ele admirava Ernesto Corrêa.

Dimas Filho vem do Rio para revigorar a redação do *Diário*.

No inverno de 1961, ingressei no *Diário de Notícias*.

Eu era menino, tinha chegado a Porto Alegre um ano antes, e Josué Guimarães havia sentenciado: vá primeiro conhecer a cidade, ainda é moço demais.

Fiz isso em intermináveis fins de semana, nas folgas do trabalho de datilógrafo no escritório do advogado Marcos Stifelman. Percorri as ruas e os recantos de Porto Alegre, bairro por bairro. As rodas dos bondes, no atrito com os trilhos, produziam um rangido e esse era o embalo do meu passatempo dominical.

Vindo do Rio de Janeiro, assumiu o lugar de Josué Guimarães o jornalista Nélson Dimas Filho. Ele foi um dos grandes talentos da imprensa carioca que passou pelo Rio Grande, e formou, com o diretor Ernesto Corrêa, uma dupla imbatível.

DIARIO DE NOTICIAS

Edição de hoje Cr$ 10,00

ANO XXXVII

PÔRTO ALEGRE, SÁBADO, 2 DE SETEMBRO DE 1961

N.º 157

Delirio nas ruas: Jango paixona Pôrto Alegre

Presidente do Senado marca para segunda-feira a posse de Jango

Hora da decisão

BRASÍLIA, 1.º (Meridional) — O sr. Moura de Andrade, assumindo a presidência dos trabalhos da sessão de hoje do Senado, anunciou que às 18,30 horas recebera um telegrama do sr. João Goulart, de Montevidéu, solicitando que fôsse marcada a data de sua posse perante o Congresso. Em virtude disso, enviou ao presidente em exercício, sr. Ranieri Mazzilli, ao presidente da Câmara Federal, deputado Sergio Magalhães, e

"Minas Gerais" nas operações navais

Congresso

O fato de ser filho do chefe dos Associados no Sul – Nélson Dimas de Oliveira – não o impediu de ter luz própria e fazer o jornal, junto com Ernesto, a seu jeito e feitio. Decididos a modernizar o *Diário*, autorizaram o chefe de reportagem, Fúlvio Bastos, a buscar gente nova para a equipe. Fúlvio se pôs a campo, sabia das minhas ambições e me convocou.

Depois de uma semana de coberturas de fatos sem maior relevância – rigores impostos a todos os "focas" –, Dimas Filho, com o cigarro no canto da boca e um sotaque arrastado, me pediu "um teste mais forte".

Assim o fiz e me vi, finalmente, transportado para a redação do jornal, atento aprendiz de um time respeitável de jornalistas.

Lá estavam, entre outros, Aluisius Schneider, editor internacional; J. J. Monteiro, subsecretário; Paulo Corrêa, o Paloca, editor de esportes; com ele, os repórteres Heron De Lorenzi, Aparício Viana e Silva e Flávio França, além de um time de colaboradores; José Samuel de Araújo Lima e Agostinho Kern, os homens do turfe; Mário Luiz Everard, redator da coluna militar; Eugenio von Mühlen, tradutor de telegramas das agências noticiosas; Pedro Campos, redator especial; José Leopoldo e Silva, responsável pelo setor de polícia, junto com Sruli Zilbermann; Felipe Monaiar e Carlos Corletto, encarregados do noticiário dos correspondentes do interior do estado; Luiz Carlos Pinheiro Machado, editor do Caderno Rural; Cícero Soares, sempre orgulhoso pelo "furo" da morte de Assis Brasil*; Ruy Pratini, o homem do setor econômico, primeiro vencedor do Prêmio Esso de Reportagem da Região Sul; Lauro Porto, chefe do setor de fotografia, onde atuavam José Alves, Wilson Rodrigues dos Santos, Niro Gaspary, Wiss Soares e Dalton Carvalho.

Na reportagem, sob a chefia de Fúlvio Bastos, o talento e a experiência de Baltazar Prates, Índio Vargas, Jayme Keunecke, João Paulo Trindade, J. Thadeo Onar, Remy Gorga Filho e Wilson Müller.

E mais Antônio Onofre, o cronista da boemia, com sua "Ronda"; Flávio Carneiro e a página "Sete dias em sociedade"; Glênio Peres, responsável pela área de promoções; Édison Nequete, teatrólogo, cronista de arte e repórter especial. Os contínuos Agenor e Paulo, o Vagareza. Além de dezenas de colaboradores das mais diversas áreas.

Cheguei ao jornal às vésperas do grande turbilhão político: eu estava na rua da Praia quando a edição vespertina da *Folha da Tarde* anunciou a renúncia de Jânio Quadros.

Logo teve início a fantástica jornada da Legalidade. E o *Diário de Notícias*, como toda a imprensa do Estado, apoiou o movimento.

Na edição de 26 de agosto, além da manchete, *JQ vítima de Lacerda,* uma carta de Leonel Brizola e um editorial.

Na carta "Ao Rio Grande e ao Brasil", o governador gaúcho lançava seu brado:

> *"Cumpre-nos reafirmar a nossa inalterável posição ao lado da legalidade constitucional. Não pactuaremos com golpes ou vio-*

* Joaquim Francisco de Assis Brasil morreu em dezembro de 1938, em seu castelo de Pedras Altas, e o *Diário de Notícias* publicou a notícia com exclusividade na edição de Natal, um domingo.

2.º CADERNO DIARIO DE NOTICIAS 10 PÁGINAS

MOBILIZADOS MAIS DE 200 MIL RIO-GRANDENSES

Hélio Carlomagno comandou a "Operação-transporte" de Jango a Pôrto Alegre

Mensagem de Jango ao Congresso

PY-3 COMANDA AS ESTAÇÕES DE RADIO AMADORES

MISSÃO ESPECIAL DA BRIGADA SEGUIU PARA O LITORAL: 600

Reforçadas as posições

lências contra a ordem constitucional e contra as liberdades públicas. Se o atual regime não satisfaz em muitos de seus aspectos, desejamos o seu aprimoramento e não a sua supressão, o que representaria uma regressão e o obscurantismo".

E no editorial, vinha o alerta:

"...Os elementos responsáveis pela vida pública têm sobre seus ombros a grave e séria incumbência de trabalhar para manter a tranqüilidade e a ordem sob a cobertura das leis que nos regem e da constituição na qual se baseia nossa forma de vida e na qual se consubstanciam, ainda, as instituições da República".

Embora a escassa experiência, lá estava eu, nos porões do Palácio Piratini, a testemunhar a história. Numa das tantas idas e vindas, ao ingressar na sede do governo, recebi, a exemplo de dezenas de outros jornalistas, um revólver 38, para a resistência que se avizinhava.

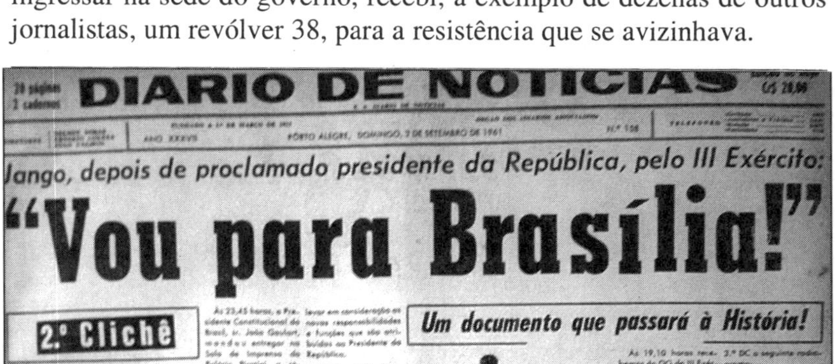
DIARIO DE NOTICIAS

Jango, depois de proclamado presidente da República, pelo III Exército:

"Vou para Brasília!"

2.º Clichê

Promulgado o

Um documento que passará à História!

Não houve tiros. E devo ter sido um dos poucos a devolver a arma. A grande maioria guardou-a como relíquia da batalha que não houve: a liderança e o discurso de Leonel Brizola foram suficientes para a vitória.

O *Diário de Notícias* passa a publicar, junto com os demais veículos da cadeia dos Associados, a coluna do jornalista americano Walter Lippmann, um dos mais prestigiados homens de comunicação dos Estados Unidos. Profundo conhecedor dos bastidores da política de seu país, Lippmann tinha sua coluna distribuída para 250 jornais americanos e outros tantos em 25 países.

Em junho de 62, um fato policial mobiliza o Estado: o assassinato misterioso de Margit Kliemann, mulher do deputado Euclides Kliemann.

Os jornalistas encarregados da cobertura policial não se limitavam, à época, ao registro dos fatos. Muitos deles travestiam-se de investigadores e competiam com inspetores e delegados na busca de pistas que levassem à elucidação dos crimes.

Ercy Torma, hoje presidente da Associação Rio-Grandense de Imprensa, relata o trabalho dos repórteres policiais à época:

– Saíamos a rodar pela cidade, tínhamos que descobrir na rua o que estava acontecendo. Dentro do velho jipe do jornal, havia um rádio clandestino sintonizado na polícia. Ficávamos circulando e quando ouvíamos alguma informação pelo rádio, corríamos para o local. Nós já estávamos na rua, às vezes chegávamos antes dos policiais, porque até eles receberem o recado, ver quem estava de plantão, colocar gasolina nos carros... era um tempo enorme. Nós íamos direto. No caso de acidente ou assassinato, a gente pulava a janela, entrava, revirava o morto porque tinha que ter o "boneco do presunto". Se não tivesse o boneco, já estava demitido de cara. Nós sempre tínhamos o flagrante, o local, a cena do crime, o ambiental. Coisa que hoje na imprensa não existe mais. A maior parte das matérias agora são feitas na redação, salvo raras exceções. Com isso, conseguia-se fazer matérias mais fortes, com mais detalhes. Tentávamos ouvir das pessoas próximas alguma coisa sobre o morto. Muitas vezes, as pessoas não queriam se envolver. Você tinha que descobrir informações. E aí você inventava histórias. Era uma batalha.

No famoso "caso Kliemann", os jornais agregaram, às equipes da editoria de polícia, jornalistas de outras áreas. Sérgio Jockymann afirma que é dele a criação fantasiosa da "Dama de Vermelho", uma mulher que teria tido participação na morte de Margit. Todos os jornais passaram a dar enorme destaque à existência da "dama".

Algumas manchetes do *Diário* nos dias subseqüentes:

21 de junho
Morta a pancadas a esposa do deputado Euclydes Kliemann.

23 de junho
Dama de Vermelho foi vista saindo do local do crime.

24 de junho
Localizado o motorista da Dama de Vermelho.

26 de junho
Kliemann admite a existência da Dama de Vermelho.

28 de junho
Polícia aperta o cerco em torno da Dama de Vermelho.

29 de junho
Recado do delegado Morais à Dama de Vermelho: – Já conheço sua identidade, apresente-se ou serei forçado a intimá-la a depor.

A personagem misteriosa só deixou de existir quando finalmente se revelou que uma vizinha dos Kliemann usou um vestido vermelho no dia do assassinato e foi confundida com uma suspeita. Nesse dia, o *Diário* publicou: "Dama de vermelho: Polícia bate na porta errada".

A tragédia da família Kliemann não terminou aí.

O crime nunca foi desvendado e, pouco mais de um ano depois, o deputado Euclides Kliemann, do PSD, sempre arrolado como um dos suspeitos, acabou assassinado pelo vereador do PTB de Santa Cruz do Sul, Floriano Peixoto Karan Menezes, o "Marechal", em circunstâncias extraordinárias. O vereador ocupava o microfone da Rádio Santa Cruz. O deputado ouvia a transmissão. Sentiu-se agredido e foi ao estúdio. Prevenido, Karan o esperou com um revólver na mão.

O tiro ficou gravado e foi ouvido mais uma vez, dois anos depois, durante o julgamento do "Marechal". Pedi a Ernesto Corrêa que me designasse para cobrir o júri. Enfrentamos uma fria madrugada de julho no inverno de 1965, antes de ouvir a sentença que deu liberdade ao "Marechal", graças a um magnífico trabalho de defesa do então jovem advogado e deputado Pedro Simon. Mais tarde, num segundo julgamento, "Marechal" foi condenado.

Jango cai, a censura é implacável. E Sampaulo cria o Sofrenildo

A posse de João Goulart não trouxe tranqüilidade política ao país. O regime parlamentarista, instaurado como condição para sua posse, deixa o presidente enfraquecido.

Setembro de 1962 foi dramático. No dia 7, o primeiro-ministro Francisco Brochado da Rocha vem a Porto Alegre e, na manhã do dia seguinte, concede uma entrevista exclusiva para o *Diário de Notícias*. Observo que está sem o seu sorriso característico, "com profundas olheiras, deixando transparecer o esforço despendido nas longas vigílias a que o tem obrigado a crise política que enfrenta o país". Em suas declarações, ele acusa Carlos Lacerda de ter colocado o Brasil "na mesma situação de 1954"; afirma que até aquele momento o parlamentarismo não existiu e reivindica, além da antecipação do plebiscito, poderes para gerir efetivamente o país. "Não ficarei apenas usufruindo as honrarias do governo." Ernesto Corrêa faz da entrevista a manchete do jornal no dia seguinte. "Brochado: Condições para vencer a crise ou a renúncia".[89]

Não consegue o apoio pretendido e, na madrugada do dia 14, Brochado da Rocha vai à Câmara dos Deputados para apresentar, formalmente, a renúncia dos membros do Conselho de Ministros. De lá, ruma para o aeroporto e, a bordo de um "Viscount" da FAB, retorna a Porto Alegre, abatido e frustrado.

Em 1962, escolhido primeiro-ministro do regime parlamentarista implantado para assegurar a posse de João Goulart, Francisco Brochado da Rocha conversa, no Palácio Piratini, com os jornalistas Fúlvio Bastos, Jayme Keunecke e Celito De Grandi.

Na noite do dia 24, quando João Caruso, presidente do PTB, anuncia o seu nome como orador no comício da candidatura de Egydio Michaelsen ao Governo do Estado, na Volta do Guerino, Brochado é aplaudido durante vários minutos.[90] Comovido, perde a voz. Um derrame cerebral leva-o para o Pavilhão São José, do Hospital São Francisco, onde morre dois dias depois.

O parlamentarismo acabou sendo uma experiência frustrante: não teve apoio popular. Previsto para ser realizado em abril de 1965, o plebiscito sobre a manutenção ou não do regime foi antecipado para janeiro de 1963, e o parlamentarismo caiu esmagado por maciça maioria: 9,4 milhões de votos contra 2 milhões.

Jango finalmente assume com todos os poderes. Começa ali um dos períodos mais tortuosos da história brasileira e que teve seu ápice no final de março de 1964 com a queda do regime institucional.

Neste episódio, a exemplo da quase totalidade da imprensa brasileira – uma das exceções foi a *Última Hora,* de Samuel Wainer –, o *Diário de Notícias* e o *Correio do Povo* apoiaram o movimento militar responsável pela derrubada de João Goulart.

Logo todos teriam razões para arrependimento: o poder instalado trata de sufocar jornais e jornalistas e o pressuposto básico da existência de ambos, a liberdade.

Ernesto passa a suportar as dores de uma hérnia de esôfago, além da gastrite que o atormentaria durante muito tempo: os contínuos do jornal tinham ordem para trazer-lhe copos de leite, a intervalos determinados.

E se queixa à futura cunhada, Noeli Rocha Peressuti, então procuradora da Assembléia Legislativa:

– A liberdade é importante, e a gente não tem liberdade de falar, de escrever.

– Lá na Assembléia, há liberdade, dr. Ernesto, os deputados podem dizer o que querem.

– Mas também há cassação, Noeli. Para nós não existe cassação, existe a prisão da palavra. O homem pode se privar de muita coisa, mas não da liberdade.

O jornal *Última Hora* foi fechado. Ari de Carvalho, seu último diretor, uniu-se ao empresário Ricardo Eicher e ao professor Dante de Laitano para fundar a *Zero Hora*, um jornal com outro alinhamento político e social. Os militares, no entanto, ainda levariam muito tempo para confiar no novo órgão, composto e impresso, em seus primeiros passos, nas oficinas do *Diário de Notícias*.

DIARIO DE NOTICIAS

ANO XL

PÔRTO ALEGRE, SEXTA-FEIRA, 10 DE ABRIL DE 1964

Ministros militares com poderes para cassar mandatos legislativos

EM VIGOR O ATO INSTITUCIONAL

NOVE PARTIDOS DERAM APOIO A CASTELO BRANCO

Pagamentos na Viação apenas para o pessoal

Chineses chefiavam

Remanescentes da equipe de *Última Hora* que não foram presos ou perseguidos passaram a trabalhar entre a redação de *Zero Hora,* na Sete de Setembro, e as oficinas na São Pedro. No início, patrulhas de militares costumavam invadir as oficinas para ler as matérias nas linotipos ou na paginação. O que não era aprovado era empastelado. Mas bastava os militares irem embora, tudo era recomposto para publicação, como lembra o jornalista Jorge Prado Magalhães:

– Irritados, os patrulheiros passaram a desligar o transformador das oficinas, cortando a energia elétrica para as máquinas. Mas sem demora o pessoal aprendeu a religar a força assim que o camburão sumia na esquina; era uma disputa tão neurótica quanto ridícula, pois o jornal acabava sempre circulando normalmente.

"Essa brutalidade contra *Zero Hora* resultava em enormes dificuldades operacionais para o *Diário de Notícias.* Ernesto Corrêa não se intimidava, mesmo diante dos riscos por manter as máquinas de seu jornal a serviço de um outro órgão mal visto pelos 'revolucionários' da época."

O jornalista Jefferson Barros, no livro *Golpe mata jornal*, publicado pouco antes de sua morte, considera "o último ato oposicionista" de *Última Hora* a nota publicada na edição de 4 de abril de 1964, explicando as razões da não-circulação do jornal no dia anterior:

> *"A falta de energia elétrica nas oficinas dos Diários Associados foi provocada pelo desligamento criminoso dos fuzíveis de um dos postos da CEEE".*

Resistia-se da forma possível. Era preciso continuar. Em julho de 1965, o *Diário* decide por mais uma reforma gráfica. Eu estava na editoria do Segundo Caderno, um belo exemplo de suplemento dominical dedicado a variedades. Pediram-me que fosse ousado na nova roupagem editorial e gráfica. E autorizaram a contratação de dois nomes destacados da imprensa gaúcha: o cronista Sérgio Jockymann e o chargista Sampaulo. Juntos, passaram a ocupar o espaço da nobre página três do Caderno. Jockyman continuaria a escrever histórias sobre a fascinante Vila Velha, parodiando figuras locais. Sampaulo produzia charges diárias. Estimulei-o a criar um personagem permanente, à semelhança de *Jeremias, o bom*, de Ziraldo, publicado no *Jornal do Brasil.*

Foi uma longa conversa de bar, regada a chope e Steinhäger, no Hubertu's, na praça Otávio Rocha. No dia seguinte, Sampaulo sentou à mesa de desenho e, uma hora depois, entregou-me as charges com a historieta de um homem desassistido pela sorte: nascia o Sofrenildo.

Adequado àqueles tempos difíceis, passou a fazer parte do imaginário da gente gaúcha.

Nessa época, Paloca, editor de esportes, e o repórter esportivo Jesus Afonso empenharam-se numa cruzada pela implantação de macas nos campos de futebol. Um jogador havia sido retirado do campo deitado sobre uma velha porta de um estádio do interior.

E conseguiram. Depois de uma série de textos vigorosos, um convênio entre a Federação Gaúcha de Futebol e o III Exército fez com que enfermeiros militares e padiolas verdes de campanha passassem a ter presença nos estádios. Com o tempo, foram substituídos por macas e equipamentos modernos.

Apesar das dificuldades de toda a ordem para a imprensa e muito mais para os veículos da cadeia dos Associados, às voltas com as finanças combalidas, Chateaubriand decide que é hora de realizar o velho desejo, anunciado num cabograma para Ernesto Corrêa, dez anos antes: "Preparem-se para receber o nosso Museu de Arte. Vamos civilizar esses gaúchos".

Jockyman & Sampaulo sem Cia

DE COMO FAZER UM MANIFESTO

"FOTOGRAFIA"

COMO VOCÊS ESTÃO VENDO: NADA NESTA MÃO... E NADA NA OUTRA...!

INTERNACIONAL

RIO GRANDE DO SUL PODERÁ EXPORTAR PARA A RÚSSIA! – Quem?

HISTÓRICA

Como dizia dona Carlota Joaquina para as amigas: Dom João foi o sexto.

Nota Oficial do PTB

ÓRFÃ DE PAI

Pedia a masoquista: "Me bate, me judia, me maltrata". Respondia o sádico: "Não".

QUANDO OS PORTUGUESES SOUBERAM QUE A CORRIDA ESPACIAL PRECISAVA DE FUNDOS, PASSARAM A ENTRAR DE COSTAS NOS FOGUETES

Aumentou o valor de nossos colegas de imprensa. Desde segunda-feira que êles são os nossos colegas caros.

Sampaulo e Jockyman: uma coluna de humor que fazia muito sucesso.

Chatô vem a Porto Alegre e inaugura o Museu Rubem Berta, com um acervo de quadros dos principais artistas gaúchos, hoje integrado ao acervo da Prefeitura Municipal e sob os cuidados do MARGS.

Nesse ano – 1966 – vai para as bancas, em São Paulo, o *Jornal da Tarde*, com uma proposta inovadora em termos gráficos e de linguagem. Até então vivia-se sob a influência da famosa reforma editorial feita pelo *Jornal do Brasil* nos anos 50. Como o *Diário de Notícias* era um permanente laboratório também nesse aspecto, Dimas Filho vai a Buenos Aires contratar o argentino Guillermo Ares, diagramador e chargista.

Guillermo era um peronista histórico.

Inesquecível a sua figura magra, o suspensório segurando as calças, cigarro numa mão, a outra ajeitando o bigode ralo. Entrava na redação repetindo manchetes imaginárias, no tom cantado de jornaleiro: "Hay bronca en el sindicato", "Renunció Alsogaray".

Trazia para a redação a voz das ruas, o grito do jornaleiro, intermediário entre nós, jornalistas, e os leitores. Um envolvimento impressionista, repetido em inúmeros depoimentos.

Tatata Pimentel:

– O *Diário* era o folclore do jornalismo. A redação lembrava os textos do Nélson Rodrigues. Era grande, tinha cheiro de papel, de tinta, os jornalistas usavam latas de filme como cinzeiros. Entendi o que era um jornal naquela redação. Lá havia o espírito de jornalismo de corpo e alma. Gente que vivia a imprensa.

Roberto Gigante:

– A minha foi a primeira coluna social a publicar a foto de um travesti, Valéria Del Rio. Um travesti de costas com um decote enorme, aparecia quase a bunda. Isso já seria estranho hoje, imagina há 25 anos! Teve grande repercussão, inclusive dentro do jornal. O Ernesto Corrêa

Na redação do Diário, *Ernesto Corrêa recebe a visita do presidente da Assembléia Legislativa, Hélio Carlomagno. Aparecem, ainda, da esquerda para a direita, J. J. Monteiro, Pércio França, Fúlvio Bastos, Jayme Keunecke e Nelson Dimas Filho.*

me chamou e disse que tinha achado sensacional, uma renovação o que eu tinha feito. Ele disse: "Não tenha receio em seguir essa linha". Claro que eu não fiquei publicando apenas fotos de travesti, mas renovei.

Vera Zílio:

– Naquela época de um jornalismo ainda boêmio (como diria a condessa Carneiro Pereira, do JB), as mulheres não dominavam as redações como acontece hoje. A predominância absoluta era de jornalistas homens. Quando entrei no *Diário*, o responsável pela redação era Olinto de Oliveira – que nunca lembrava meu nome e me chamava de "moça" – e ele sugeriu que eu escrevesse na sala ao lado da redação, onde, durante o dia, funcionava a administração. Naquele salão imenso e vazio, no início de noite, repleto de máquinas de escrever cobertas com capas de plástico, eu escrevia meus textos. Nunca perguntei o porquê do meu isolamento. Até achava bom escrever em silêncio. Mais tarde, quando outras mulheres, como Nubia Silveira e Helena Ronneau, foram admitidas, fui chamada a participar da verdadeira sala da redação. Percebi então que seu Olinto, no fundo, queria me proteger das calorosas discussões machistas que algumas vezes dominavam o cenário da redação. Acho que minha aparência frágil e os conceitos em relação à mulher, naquela época, faziam supor que eu não pudesse participar intelectualmente daquela confraria. Só bem mais tarde, na direção de programas de televisão ou como executiva, à frente de grupos de competentes profissionais, percebi que não basta a uma mulher ser competente. É preciso provar isso todos os dias.

Morrem Maria Izabel e Chatô. Ernesto faz seu testamento

Maria Izabel, a esposa de Ernesto, morre em 1966, aos 56 anos de idade. Ela sempre fora muito doente. Lia, a filha mais velha, tomara para si, desde muito jovem, a responsabilidade pelo andamento da casa e o cuidado com os irmãos mais moços. Ernesto a chamava de senhora.

Maria Izabel permanecia acamada a maior parte do tempo. Por último, teve câncer de mama. E nas horas finais foi assistida por toda a família. Ernesto permanecia na sala ao lado do quarto, escrevendo à máquina. Vinha vê-la a todo o instante. Quando se confirmou a morte, ele desapareceu. Os filhos saíram à sua procura, foram encontrá-lo encostado numa árvore, na avenida Duque de Caxias. Cabisbaixo. Só voltou para a última despedida, na hora final do sepultamento.

Maria Izabel com os filhos, Faveco, Helena, Paloca, Lia e Fernando Ernesto.

Assis Chateaubriand morre a 4 de abril de 1968.

No *Diário de Notícias*, naquela noite, ouvia-se um silêncio constrangido. Ernesto Corrêa perambulava sem rumo pela redação, como se estivesse a buscar seu próprio destino.

Escreveu um texto para a primeira página:

"A taba ficou sem Cacique.

O Caeté que tanto se agitou na floresta como no asfalto, que lutou contra quase tudo e contra quase todos (muitas vezes até contra si mesmo), cai vencido.

Morre Assis Chateaubriand.

Abre-se um vazio no coração de todos nós...".[91]

Ele sabia que a vida seria ainda mais difícil sem a presença e o respeito do líder. Um mês depois, a 6 de maio, Ernesto decide fazer seu testamento. Ele havia casado com Yvonne em novembro do ano anterior. Deixa-lhe um terço de seus bens e a nomeia testamenteira. Em 1° de agosto, encaminha seu pedido de aposentadoria e, para isso, pede, apenas por formalidade, demissão do cargo de diretor-presidente da S/A Diário de Notícias.

A idéia repetida entre alguns estudiosos da imprensa, de que um jornal começa a morrer dez anos antes, foi verdadeira no caso do *Diário de Notícias*. Ernesto morreu dez anos depois de Chatô. E o jornal desapareceu no ano seguinte.

Ernesto se apega ao filho mais moço de Faveco, nascido dois anos antes. Embora não fosse o único neto, é com Cristiano que ele faz passeios e devaneia. Conta histórias infantis enquanto andam de barco no lago do Parque da Redenção. Ernesto rema, distraído com a história de Peter Pan. Passa com o barco sob uma árvore cheia de espinhos:

– É o Capitão Gancho nos atacando.

Marca para sempre o neto com brincadeiras, carinho, companheirismo.

Cristiano explica o apego do avô:

– Não é questão de gostar mais ou menos. Comigo ele teve oportunidade de conviver, com os outros, não. Até então ele se dedicava ao jornal. Morávamos perto, eu almoçava com ele e depois dormíamos a sesta juntos.

Yvonne não podia ter filhos, ela e Ernesto decidem adotar uma criança. Adriana, nascida às oito horas do dia 14 de novembro de 1973, em Lagoa Vermelha, onde Ernesto caçava com freqüência, veio para Porto Alegre com um dia de vida. Yvonne foi esperá-la na estação rodoviária, acompanhada pela irmã Noeli. Ernesto esperou em casa. Não teve coragem de tomá-la nos braços. Ficou olhando, emocionado.

– Ela é lindinha, não é, Noeli?

Médici endurece o regime. No *Diário*, o esforço de uma equipe talentosa

Em outubro de 1969, Emílio Garrastazu Médici assumiu a Presidência da República. Gaúcho da fronteira, leu um discurso com muitas promessas.

O *Diário* pôs na manchete: "Médici promete a União, a verdade e a confiança"[92]. Nos subtítulos, trechos do discurso: "Homem do campo, creio no homem e no campo/ Homem da fronteira, creio num mundo sem fronteiras/ Homem do povo, creio no homem do povo / Homem do meu tempo, tenho pressa e creio nos moços / Homem da revolução, eu a tenho incontestável / Homem da lei, creio no primado do Direito".

Não demora e começa um dos períodos mais duros do regime militar. Em 13 de janeiro de 70, a Câmara aprova a censura prévia em livros e periódicos, e no dia 26, com o Decreto 1.077, do ministro Alfredo Buzaid, ela é posta em prática. Um mês depois, Médici anuncia que não revogará o AI-5. E em outubro, numa visita a Porto Alegre, ele declara que "o homem não foi feito para a democracia".

Sepultaram-se as esperanças.

Dimas Filho já não estava mais em Porto Alegre, havia retornado ao Rio de Janeiro, onde morreu moço, depois de lecionar jornalismo durante algum tempo. Eu era o secretário de redação, os salários estavam com três meses de atraso, Nélson Dimas de Oliveira comandava o cofre com mão de ferro. Deixei o jornal, depois de uma carta decidida para o "velho Dimas", como todos o chamávamos, e uma conversa reverente com Ernesto Corrêa.

Também no *Diário* escasseavam as esperanças.

Ibanor Tartarotti assume o comando geral dos Diários Associados do Sul em 1971. Eu me encontrava na chefia da sucursal gaúcha do *Correio da Manhã*, do Rio de Janeiro.

Tartarotti me convoca, insiste. Só dois anos depois aceito o comando. De setembro de 1973 até o final de junho de 1974, lidero uma equipe talentosa. Luiz Pilla Vares é o editor-chefe, Carlos Karnas o responsável pela reportagem. Tentamos injetar ânimo a uma equipe jovem. E afirmar um *slogan*: jornal é talento e coração.

– O que foi mais significativo, Carlos Karnas?

– O mais significativo não foram reportagens ou fatos, e sim as mudanças estrutural e conceitual do jornal. A nova paginação, a rediagramação, com conceitos mais modernos, a valorização da primeira página com manchetes mais jornalísticas, títulos com tipologia mais potente e a abertura de fotos para dominar a capa do jornal. Houve a retomada da valorização de alguns colunistas, qualificação do noticiário político, econômico, da reportagem local. Houve, inclusive, o esforço de acompanhar as grandes coberturas dos fatos nacionais e internacionais do momento, mas faltava grana para deslocar repórteres e jornalistas.

– E para você, Luiz Pilla Vares?

– Houve uma concepção muito corajosa de jornal. O *Diário* estava lá embaixo, desacreditado. A idéia era renovar de cabo a rabo. Fazer uma transformação total, gráfica, de estilo, da forma de se redigir a notícia. Começamos a usar grandes fotografias na capa, na época era uma novidade. Rompia com aquela coisa conservadora. Era muito duro trabalhar lá. Foi a época mais pesada da ditadura.

A jornalista e professora Christa Berger, à época editora de noticiário internacional, lembra a cobertura do golpe militar no Chile:

IARIO DE NOTICIAS

FUNDADOR DOS DIARIOS ASSOCIADOS: ASSIS CHATEAUBRIAND
ANO 50 — N.º 93 — 1,20 — Porto Alegre, Quarta-feira, 19/6/74

ATAQUE COMPLETA 180 MINUTOS SEM FAZER GOL

FRACASSA O FUTEBOL COVARDE DE ZAGALO

Um jornalismo mais ousado para tentar renovar o jornal.

– Fizemos um bom trabalho de anunciar a crise que se avizinhava e lembro da tristeza que tomou conta da redação e de como ficamos em torno do teletipo esperando a confirmação ou não da morte do Salvador Allende. Lembro das versões conflitantes das agências AP, UPI e Reuter: uma dizia que ele havia se suicidado, outra, que tinha sido morto pela polícia. Recebemos a versão do discurso que ele fez, transmitido pelo rádio desde o palácio de La Moneda. E recordo a dificuldade de se fazer a manchete, sem falar na causa da morte, as recomendações da censura. Saiu assim: Allende está morto. Era 11 de setembro. Eu levei muitos telex e fotos que iriam para o lixo e passei para o pessoal do diretório da faculdade de economia, que fez um grande mural denunciando a "intervenção norte-americana na América Latina". Essa denúncia ainda não era permitida ou bem vista no Brasil, mas causava comoção junto aos estudantes. O tradutor de telegramas era o Eugênio von Mullen, superciente de sua função, superorganizado e que me trazia os telegramas classificados por agência e assunto. Oh bons tempos! de redação aberta, de papo no meio da tarde, do churrasco na churrascaria da frente e de dormir com o sentido do dever cumprido e acordar cedo para ver o jornal debaixo da porta e conferir se não tinha erros.

Em junho, enviei um relatório a Tartarotti, expondo o que era preciso ser feito para continuar a ascensão. Ênio Rockenbach foi testemunha do desabafo do diretor-geral ao ler o meu texto:

– O Celito está delirando. Pensa que é o editor do *The New York Times*. E que eu sou o Hearst.

Despedi-me, continuamos amigos.

Naquela noite, Ernesto Corrêa foi ao meu apartamento para uma última conversa. Concordamos em muitas coisas. O *Diário*, tal qual o víamos, não haveria de durar muito. E *Zero Hora*, nascida a 4 de maio de 1964, estava a se consolidar. Não era difícil prever: o jornal hoje instalado na av. Ipiranga ocuparia o espaço do *Diário de Notícias*. E o embate da primeira metade do século, entre *Diário* e *Correio*, repetir-se-ia nesta segunda, desta vez entre *Zero Hora* e *Correio*.

Uma visita de amigo. Um diálogo verdadeiro e franco.

Yvonne faz questão de lembrar: foi uma das poucas vezes que ele saiu de sua casa para visitar alguém que não fosse da família.

Logo depois, Tartarotti vai para o Rio de Janeiro. De lá, no comando do *Jornal do Comércio* e da Rádio Tupi, seria mais fácil chegar ao sonho de ser condômino e presidir os Diários Associados. Chegou.

O falo desenhado na foto de Geisel. Uma brincadeira que acaba em prisão

Nélson Dimas de Oliveira morre em 1975. Ernesto escreve-lhe um belo epitáfio publicado na capa do *Diário*.

A situação é caótica aqui no Sul. João Calmon já havia pedido socorro a seu arquiinimigo Edmundo Monteiro, o todo-poderoso condômino paulista. Em São Paulo, só ele tinha a palavra.

Havia lógica na proposta de Calmon:

– Vocês já comandam Santa Catarina e Paraná. São os mais próximos. Assumam o Rio Grande.

Edmundo pede a Madruga Duarte que venha ao Sul ver de perto a realidade, e ele retorna “apalermado com a situação”.

João Calmon intima, então, os mineiros. Eles são os mais abonados. Estácio Ramos, um jovem executivo da empresa, é convocado. E revela seu espanto:

– Uma incoerência geográfica e um sacrifício: sabia-se das dificuldades para recuperar a empresa. Sem contar a concorrência da RBS, avançando no mercado de comunicação, com investimentos firmes na *Zero Hora* e alavancados pela programação da Globo. E mais o *Correio do Povo,* que continuava sendo um jornal forte no mercado.

– Vocês conheciam, então, a realidade?

– Não, o mais grave foi isso. Nós não tínhamos idéia do que iríamos assumir, porque o Calmon não deixou sequer que se fizesse uma auditoria. Eu recebi as empresas sem conhecer nem o faturamento. Só me disseram: vai, assume e vamos tentar encontrar um caminho. Assim nós chegamos no Rio Grande. Eu não conhecia Porto Alegre, nunca tinha viajado para o Sul. No dia da chegada, um enorme incêndio na linha férrea, em frente ao aeroporto: vagões de combustível em chamas. Eu estava curioso para ver a cidade de cima e, no entanto, o que vi foi aquele fogaréu fantástico. Tive um mau pressentimento.

"Levei comigo o Camilinho, filho do Camilo Teixeira da Costa, condômino e líder dos Associados em Minas. Era um jovem sem nenhuma experiência. O Camilo me pediu que o levasse porque precisava que ele passasse por um teste. Isso na área administrativa. O Clementino Pinheiro, gerente financeiro, foi uma surpresa agradável. Profissional sério, competente, enfrentando uma parada terrível, porque administrava um caixa que não tinha dinheiro. Nós o promovemos a diretor financeiro. Ficamos eu, o Camilinho como diretor administrativo e o Clementino. Mantive os demais em seus cargos. E até convocar o Symphronio Veiga, de Minas, para chefiar a Redação, o jornal ficou sendo administrado pelo pessoal que havia lá."

A jornalista Bernadete Duarte, que foi chefe de reportagem nesse período, resume:

– Era muito engraçado trabalhar no *Diário*, uma baderna generalizada; porém, uma escola fantástica de jornalismo, o repórter aprendia muito, fazia tudo. Quem entrava lá, passava por todas as editorias.

E conta uma historinha sobre a autocensura:

– Matéria sobre casamento, para a editoria de variedades. Havia pouca foto no arquivo e, para ilustrar o texto, achamos a fotografia de um casal, ele, um soldado europeu. Quando vi o jornal no outro dia, havia apenas a mulher na ilustração, tinham mandado cortar o rapaz, o soldado.

A maioria dos jornalistas era engajada em movimentos políticos.

João Baptista Marçal:

– Redação do *Diário de Notícias*. Um belo laboratório a caminho do fim. A zorra costumeira. Ditadura militar. E o medo, o medo nos olhos da gente, nas mãos da gente. Um verme corroendo as nossas entranhas de combatente. Uma coisa do cotidiano. Uma coisa qualquer. Pego-lhe pela goela e faço um texto amargo, azedo. O negrão João Paulo Trindade – te lembras, Pilla Vares? – por ali, na sua. Entrego-lhe duas laudas. Testa franzida, João Paulo lê. Coça a barba branca. "Não te esquece, Índio, que toda a matéria tem que ter um toque humano..."

Mas o episódio mais revelador da época e dos desacertos na redação do *Diário* ocorreu no verão de 1978. E acabou se transformando em notícia da imprensa nacional.

Estácio Ramos estava na sua pequena fazenda, no interior de Minas, onde se refugiava com a família em datas especiais. Não havia telefone, e foi um emissário, vindo de Caeté, a oito quilômetros, quem lhe trouxe o recado: entre em contato urgente com o diretor-geral dos Associados de Minas. Alguma coisa grave havia acontecido. Estácio foi a Caeté, telefonou e recebeu a ordem: pegue o primeiro avião para Porto Alegre.

Ele encontra um tumulto. A Polícia Federal queria prender todos os jornalistas do *Diário*, tirar o jornal de circulação.

O jornalista Carlos Frederico Menz, responsável pela página de política nacional e principal envolvido no episódio, descreve-o em detalhes, depois de classificá-lo como "cenas melancólicas de ópera quase bufa...":

– ...Foi mais ou menos assim: estávamos no sábado fechando a edição de domingo e eu precisava da foto do presidente Geisel para ilustrar uma matéria. Selecionei aquela em que o general estava de perfil, em posição de sentido, e a deixei sobre minha mesa. Meu colega da mesa ao lado, Virson Holderbaum, que fazia a Geral, examinou a foto e disse: essa foto é uma merda, o cara parece um ás de paus! Eu respondi rindo que tanto fazia. Virson então pegou um lápis marcador e desenhou, de brincadeira e com traços rápidos e leves, um falo ereto na figura e, entre gargalhadas (pois o ambiente na Redação era altamente descontraído, apesar dos olhares admoestadores de Simphrônio, mas que ninguém levava muito a sério), voltamos cada um para nossos afazeres. Fechei a página e baixei, com a foto marcada para ser usada somente a área do busto de Geisel. Só que o apêndice desenhado ficou, pois não estava programado o uso da foto de corpo inteiro. São essas pequenas falhas, bobagens que podem desencadear grandes confusões. Acredito que o diagramador, na correria do fechamento, mais a pressa para encerrar logo e aproveitar o fim de sábado, negligenciou as marcações indicadas por mim e colocou a foto inteira. Ou pode ter sido na composição final, antes da fotolitagem. Realmente não sei. A verdade é que não houve a intenção de que a foto saísse daquela forma. Éramos brincalhões, irreverentes, mas não malucos. Fui para casa e só voltei na segunda-feira, de sangue limpo. Mal entrei na Redação e já Simphrônio apareceu, furioso, com a edição de domingo na mão, pedindo explicações. Tive que me esforçar para perceber o desenho, apesar de já ter sentido o drama ao verificar que a foto havia sido publicada diferentemente de minha indicação. A um canto estavam Virson e o diagramador, mais um funcionário das oficinas. Não havia indicação de que haveria expediente na Redação. Acho que os demais redatores já tinham sido dispensados. Simphrônio caminhava de um lado para o outro, de olhos esbugalhados, dizendo: "Como é que pode?!" e batia com o jornal na cabeça. Em resumo, depois de manter breve conversação com Ernesto Corrêa, conduziu-nos todos a uma viatura do jornal e fomos à Polícia Federal. Lá, lembro-me, sofremos um chá de banco, e o ambiente era extremamente constrangedor, com Ernesto Corrêa e Simphrônio, de um lado de um corredor com bancos, e nós, subalternos, do outro. Ernesto caminhava irritado de um lado para o outro e, quando finalmente foi chamado, permaneceu poucos minutos com o delegado e depois saiu bufando, apressado. Do meu interrogatório, lembro-me que fiquei sentado em frente ao delegado (do qual esqueci o nome, mas lembro que se tratava de um nortista, por causa do sotaque) e à datilógrafa. Relatei-lhe mais ou menos o que digo neste depoimento, e ele, depois de mais algumas questões das quais não me recordo mais, mandou-me ler o que havia sido datilografado e assinar. Depois simplesmente mandou que eu tirasse os cadarços dos sapatos, o cinto (que eu não usava), o relógio e todos os demais pertences e indicou a um policial que me levasse para a cela. Descemos algumas escadas e fui colocado num cubículo de mais ou menos dois por três metros, com unicamente um sujo colchonete de espuma jogado no chão. Não sei qual foi o objetivo daquela atitude. Nada me foi falado ou explicado...

"...Ao todo, devo ter passado umas cinco horas preso. Na saída, encontrei um colega da sucursal do *Globo*, o repórter Erni Quaresma, que me disse que havia falado com o delegado e intercedido pela minha soltura, sob pena de enviar matéria para seu jornal sob a manchete: 'Jornalista preso incomunicável no Sul'... Verdade ou piada, o fato é que à época não era difícil para a repressão manter 'desaparecida' qualquer pessoa por longos períodos de tempo. E não adiantava queixas nem para o bispo. E apesar da enorme repressão à imprensa, esta ainda era um poder razoavelmente respeitado...

"...Fiquei sem lenço e sem documento na rua da amargura, pois, a partir daquele episódio, nunca mais consegui trabalhar em qualquer órgão 'grande' ou tradicional da imprensa...

"...o que me pareceu à época uma grande tragédia, reduziu-se ao longo do tempo a uma piada descartável".

Virson Holderbaum e Enir Borges, o diagramador, participantes da embrulhada, confirmam o relato: foi mesmo assim, com pequenas variáveis. E Estácio Ramos acrescenta:

– Fizeram um carnaval, como se aquilo tivesse sido premeditado pela empresa para desmoralizar o presidente. Fiquei num fogo cruzado de vinte a trinta dias. Até que em Brasília a história verdadeira foi apresentada e a coisa foi caindo num processo de esquecimento.

Estácio Ramos e o comovente retorno de Ernesto Corrêa ao jornal

Foi em Florianópolis, onde reside já há alguns anos, o depoimento de Estácio Ramos. Conversamos sem pressa. Por vezes ele interrompia a fala, emocionado, tantas as lembranças:

– Minha sala, no alto do morro Santa Teresa, no prédio da TV Piratini, era envidraçada, tinha uma vista privilegiada do Guaíba, aquele pôr-do-sol maravilhoso. E também uma visão do pátio interno da emissora. Dela, eu via, todos os dias, um senhor de cabelos grisalhos com um cachorrinho no colo, caminhando no pátio, para lá e para cá. Fazia seu exercício e ia embora. Dia após dia, a mesma coisa. Curioso, chamei uma pessoa da casa e perguntei se sabia quem era.

"– Aquele senhor, com um cachorro no colo?

"– Aquele mesmo.

"– É o dr. Ernesto Corrêa, jornalista, condômino, um dos donos da empresa.

"Estávamos trabalhando há oito meses e descobri por acaso que no Rio Grande do Sul havia um jornalista condômino dos Diários Associados. Ninguém me apresentara a ele, nem me falaram a respeito. Fiquei desconsertado.

"Mandei chamá-lo, servi café, água, pedi desculpas pela minha falta de educação, que não era propriamente falta de educação pois eu não sabia. Se soubesse, há muito tempo já teria lhe prestado minhas homenagens. Ele foi muito simpático, conversamos umas duas horas, contou casos e casos, disse-me que estava completamente afastado de qualquer processo decisório. Contra a sua vontade, pois gostaria de ajudar, mas foi afastado, e não cabia indicar ninguém como culpado.

"Passamos a conversar com freqüência, pedi que nos seus passeios desse uma chegada no meu gabinete, precisava de ajuda e me encantei com a sua capacidade de avaliar, analisar e indicar caminhos para a recuperação da empresa. Tinha uma cabeça privilegiada, um homem experiente. Ajudou muito, mas eu queria mais e comecei um processo de convencê-lo a voltar ao jornal.

"Não tinha sala, não tinha nada. Ele não tinha uma cadeira para sentar dentro da empresa. Passeava no pátio, com um cachorro no colo, como um estranho, como quem não pudesse chegar, afastado do que era seu e do que havia dominado por tanto tempo com um raro brilhantismo dentro da equipe dos Associados.

"O dr. Ernesto Corrêa não tinha sequer uma cadeira!

" – Camilinho, Clementino, vamos montar uma sala... quero o dr. Ernesto de volta.

Ernesto Corrêa em Canela, na casa de Fernando Ernesto.

"Depois de muita insistência, concordou em visitar o jornal, na rua São Pedro. Foi aqui, foi ali, mostrou algumas coisas que havia sugerido na tentativa de melhorar e que não foram acatadas. Subimos, entramos na sala que havíamos preparado. Ele olhou demoradamente em volta:

"– Bonita esta sala. De quem é?

"– Sua.

"– Como assim?

"– Mandei preparar para o senhor.

"Pedi-lhe que sentasse na cadeira do diretor, sentei à sua frente, na cadeira dos visitantes. Conversamos. Ele não tinha mais como projeto de vida voltar a trabalhar no jornal, eu entendia, mas achava importante que voltasse a escrever.

"– O senhor é uma legenda, como o Breno Caldas e o Maurício Sirostsky. O senhor está no mesmo nível. Se o jornal não viu isso, fez muito mal, só perdeu.

"Ele se emocionou. Depois de um longo silêncio me disse:

"– Vou escrever a caneta. Não tenho mais idade para escrever a máquina.

"– Escreva do jeito que quiser, mas escreva.

Fez trabalhos fantásticos, tinha uma pena brilhante. No ataque, era uma navalha. O texto contundente. Batia da cintura para cima. Convidei-o a presidir o Conselho Editorial. Voltou a opinar. Orientava com elegância. Manteve um relacionamento da melhor qualidade com toda a equipe. Quando sentiu que estávamos ali para trabalhar forte, se despiu de toda a carga de mágoas. Não é fácil para uma pessoa na idade em que ele estava, completamente ignorado, elaborar isso e voltar como se fosse um novo jornalista escrevendo. Mudou de comportamento. Animadíssimo, me chamava para mostrar os artigos. O dr. Ernesto, no final da vida, deu uma demonstração de amor pelo jornalismo.

"Eu tinha 33 anos, nunca vou esquecê-lo, foi um relacionamento que me engrandeceu pessoal e profissionalmente, não só a mim como a toda equipe. Só lamento que tenha sido por pouco tempo, logo ele ficou doente e teve que se afastar".

Morre Ernesto Corrêa, em 78. Um ano depois, morre o jornal

Caçar era um hobby antigo, e Faveco o acompanhava, ainda menino. Faziam a travessia do Guaíba nas antigas balsas da Vila Assunção. Mal chegados à outra margem, encontravam caça em quantidade, na granja Carola, de propriedade de Chico Garcia de Garcia, amigo de Ernesto. Levavam comida preparada por dona Maria Izabel: frango assado, salada de batata, sanduíche. Também iam a lugares mais distantes: no banhado do Colégio, nas terras de Ari Alcântara, em Camaquã. E em Bagé, Pelotas, Chuí, Santa Vitória do Palmar. Ou andavam por outros caminhos: Vacaria, Lagoa Vermelha. Caçavam perdiz e perdigão. E marrecões, vindos da Patagônia, quando lá começava a nevar: de junho a setembro, os pássaros vinham em bandos, à procura de comida e clima quente.

No dia em que completou setenta anos, Ernesto ganhou dos filhos e netos um presente especial: uma caminhonete equipada para caçadas. Fernando Ernesto procurou uma placa com o final 70, só conseguiu o 72.

Ernesto viu a placa e comentou, para surpresa de todos:

– Setenta e dois. É, tá certo, tenho mais dois anos de vida.

Outro hobby era o futebol. Era sempre o primeiro que chegava à casa de Paloca, para as peladas de fim de semana. Com receio de acordar o filho, ficava no carro, à espera, até que aparecesse mais alguém. Só então se apresentava.

As dores começaram no joelho direito, no final de 1977. Por culpa do futebol, com certeza. Meniscos, quem sabe. E assim foi tratado e para isso medicado.

Passados alguns meses, começou a emagrecer. Chamaram um médico amigo, o dr. Jaime Domingues. Ele o examinou e pediu a internação. Ernesto foi operado na Beneficência Portuguesa. A dor no joelho era resultado da metástase. O câncer no estômago espalhava-se, sorrateiro e implacável.

Quinze dias antes de morrer, mandou chamar Walter Tschiedel, advogado, companheiro de caçadas e amigo fiel. Queria um segundo testamento. Nomeia a advogada Noeli Rocha Peressutti, irmã de Yvonne, nova testamenteira, e pede-lhe que esteja sempre ao lado de Adriana, a filha a quem ele beneficia ainda mais na divisão dos bens.

Noeli tem a consciência tranqüila, atendeu o pedido de Ernesto: sempre orientou Adriana e a estimulou a concluir a Faculdade de Direito, em janeiro de 1997. Nada pôde fazer, no entanto, em agosto daquele ano, quando o kadett recém-comprado pela moça bateu no cordão da calçada da avenida Nilo Peçanha e capotou, depois de uma festa no Dado Bier. Adriana morreu na hora, o namorado mais tarde foi condenado pelo júri a seis anos de reclusão, por homicídio. Dirigia embriagado.

No dia 7 de junho de 1978, menos que as dores – amortecidas pela morfina –, a preocupação de Ernesto Corrêa era a partida entre Brasil e Espanha, pela Copa do Mundo. Tinha um rádio no ouvido e os olhos esmaeciam diante da pequena TV preto-e-branco.

Não assistiu ao final do jogo.

Também não assistiu, no dia seguinte, ao fim da censura prévia à imprensa.

E foi poupado de assistir ao capítulo final deste romance.

No alto do morro Santa Teresa, na tarde quente do sábado, Estácio Ramos redigiu o editorial da última edição do *Diário de Notícias*, o número 253 do ano 55, domingo, 30 de dezembro de 1979.

"Realidade Empresarial". Título ou epitáfio, perguntou-se. Foi-lhe difícil conter as lágrimas, na solidão do gabinete e do poder. "Quem dera eu tivesse o talento de Ernesto Corrêa." Recompôs-se ao compreender que, mais difícil, seria pedir ao major que escrevesse aquele necrológio.

Ergueu-se da cadeira de couro negro e olhou a paisagem: ao longe, as águas do Guaíba; no pátio do estacionamento, algumas árvores e o cimento escuro. Não havia cinzas onde pudesse jogar a caneta que segurava entre os dedos.

Com ela, escreve a morte definitiva do jornal. Ele sabia: embora o texto o prometesse e apesar dos ares míticos do *Diário de Notícias*, não haveria um novo renascimento.

Caderno C

Humor de Redação

1

Fúlvio Bastos foi durante vários anos chefe de reportagem do *Diário de Notícias.* Alto, calvo, irrequieto e temperamental, acabou por se tornar vítima freqüente de brincadeiras dos colegas.

José Alves, fotógrafo do *Diário* e mais tarde do Serviço de Imprensa do Palácio Piratini, assegurava ter assistido a este episódio por ele narrado com detalhes:

– José Lamaison Porto era secretário da Saúde do Estado, no governo Leonel Brizola. Fúlvio Bastos, à época, acumulava as funções de chefe de reportagem e assessor de imprensa da Secretaria da Saúde. Lamaison Porto foi visitar o Hospital Psiquiátrico São Pedro, no Partenon, acompanhado de auxiliares, Fúlvio entre eles.

"A comitiva deu entrada, com pompas, pelo corredor principal. Um dos internos voltou-se para outro:

"– Olha ali! O grandalhão voltou!"

2

Outra figura inesquecível foi o repórter José Carlos Bardawil. Um tanto desligado, levava sempre sob o braço o guarda-chuva preto, tinha baixa estatura e um inconfundível sotaque cearense. Dizia-se que era filho de um rico usineiro nordestino, viera para o Sul pela vontade do pai de vê-lo afastado do amor pelas artes, teatro e cinema, em especial. Aqui se tornou amigo de Édison Nequete e, mais tarde, acabou chefe da sucursal da revista *IstoÉ* em Brasília, entre outras passagens importantes pela imprensa do país.

Certa vez foi designado por Fúlvio Bastos para participar da entrevista com o então ministro da Agricultura, Mário Meneghetti, no Plaza Hotel, na Senhor dos Passos.

Bardawil chegou atrasado, o ministro expunha suas idéias. Ele se acotovelou em meio aos colegas, apanhou bloco e caneta, olhou com firmeza para o ministro e, para espanto de todos, fez a primeira pergunta:

– Como é mesmo seu nome?

3

Fúlvio Bastos reunia a equipe de reportagem à primeira hora da tarde, numa sala do andar onde funcionava, em certo momento, a superintendência dos Diários Associados, no edifício da rua Vigário José Ignácio que tinha no térreo a Casa Victor.

Além de distribuir pautas e tarefas, fazia a escala da utilização do único jipe existente para os deslocamentos dos repórteres. O resto do tempo era dedicado pelos jornalistas a percorrer repartições e entidades localizadas no centro da cidade, em busca dos "furos".

– Bardawil – disse ele. – O jipe vai estar à tua disposição às 4 horas da tarde.

O cearense olhou o relógio e disse, tranqüilo:

– Ótimo. Então dá bem para ir ao cinema das 2 às 4.

Fúlvio olhou-o enfurecido, deu um murro na mesa e gritou:

– Ou tu és louco ou sem-vergonha!

4

A reunião de pauta foi transferida, mais tarde, para a "esquina democrática". Ali foi instalada uma central de notícias para abastecer os veículos da empresa (*Diário de Notícias*, Rádio Farroupilha e TV Piratini).

– Em função da necessidade de fotógrafo, eu passei a freqüentar a "Esquina" – conta Ivette Brandalise, à época cronista e responsável pela página feminina do jornal.

– Naquele momento, estavam pensando em montar uma "unidade móvel" da rádio. Era a primeira experiência nesse sentido. Procuravam um repórter para a função e, quando perguntaram se eu conhecia alguém, não titubiei: "Eu".

– Era só o que me faltava – respondeu Fúlvio Bastos. – Imagina o que o dr. Dimas diria se soubesse que jogamos uma mulher na rua, trepando e descendo de uma kombi.

– Pois é, eu só podia trepar e descer de um jipe.

5

O jornalismo romântico e alegre da época era propício aos trotes envolvendo jornalistas de veículos distintos ou mesmo entre colegas do próprio jornal. Flávio Tavares, então na *Última Hora,* era especialista nisso e, embora não confirme, é tido como o patrocinador de pelo menos duas brincadeiras a que assisti, envolvendo, entre outros, Fúlvio Bastos.

No traumático "Caso Kliemann", as redações estavam irrequietas e mobilizadas à procura de fatos novos.

Flávio Tavares, sem identificar-se, ligou, certa noite, para todos os chefes de reportagem da imprensa de Porto Alegre, Fúlvio Bastos entre eles. E avisou: às 15 horas do dia seguinte, no Plazinha, haveria uma reunião importante envolvendo pessoas ligadas ao episódio Kliemann. Antes disso, havia feito contato telefônico com o escritório de advocacia dos irmãos Aiquel – Jamil e Angelito – e, sotaque alemão, dizendo-se membro da família Kliemann, agendou um encontro reservado com ambos no Plazinha, às 15 horas do dia seguinte.

Fúlvio concluiu tratar-se de tarefa importante demais para um repórter jovem como eu e escalou-se para me acompanhar.

No momento em que os dois advogados ingressaram no saguão do hotel, foram cercados por um batalhão de repórteres de jornal, rádio e televisão, com seus gravadores, microfones e câmeras. Espantados, sem nada entender, os advogados ainda foram chamados à portaria do hotel para atender a um telefonema. Ouviram uma descompostura:

– E eu pensei estar tratando com gente responsável. Então lhes peço um encontro reservado e os senhores convocam toda a imprensa de Porto Alegre?

E desligou o telefone.

6

Houve um desacerto, certa feita, entre o governador Leonel Brizola e o cardeal arcebispo de Porto Alegre, Dom Vicente Scherer.

Depois de uma declaração forte do Governador, em resposta ao cardeal – "Dom Vicente fez mal ao Rio Grande", palavras que originaram uma magnífica charge de Sampaulo, mostrando uma mulher grávida e, ao fundo, o cardeal, saindo de mansinho –, toda a imprensa buscava um pronunciamento de Dom Vicente Scherer. Ele se negava, no entanto, a alimentar a desavença.

Dez horas da noite, toca o telefone da mesa de Fúlvio Bastos. Ele responde, em voz alta: "Pois não, Dom Vicente", e faz gestos enormes pedindo silêncio.

Flávio Tavares imitava à perfeição o religioso, e o diálogo foi mais ou menos este, conforme o próprio Fúlvio:

– O senhor sabe... este incidente lamentável com o Sr. governador...

– Sem dúvida, Dom Vicente.

– Tenho aqui uma pequena nota sobre o assunto...

– Pois não, Dom Vicente.

– É um pouco tarde, não sei se o senhor poderia mandar apanhar para publicação.

– Pois não, Dom Vicente. Já estamos indo.

– Não quero incomodar...

– De forma alguma, Dom Vicente.

– Então está bem, "seu" Fúlvio. Boa noite. E que Deus seja louvado.

Fúlvio, já então de pé:

– Boa noite. Para sempre seja louvado.

Àquela hora, na Cúria Metropolitana, só havia um sacerdote sonolento e espantado. Já vestido com a bata de dormir, atendeu a equipe de reportagem com evidente desagrado, para informar que Dom Vicente sequer estava em Porto Alegre.

De quantos assistiram ao episódio, ninguém esquece Fúlvio, perfilado, reverente, a proclamar:

– Para sempre seja louvado.

7

Por volta de cinco horas da tarde, invariavelmente, Fúlvio Bastos chegava à redação, na rua São Pedro. Retirava da gaveta da sua mesa uma pequena máquina de escrever – Lettera 22, Olivetti – absolutamente desproporcional a seu tamanho, e iniciava a faina de recolher os textos dos repórteres, revisá-los e encaminhá-los a Nélson Dimas Filho, o redator-chefe, sentado na mesa ao lado.

Naquela tarde, para surpresa geral, os repórteres foram chegando e a mesa de Fúlvio estava vazia. Faltava o matraqueado da sua Lettera. Os minutos transcorrendo e nenhuma notícia dele.

Já se aproximavam as sete horas da noite quando finalmente ele entrou na redação. Sorridente, ao contrário do habitual, mostrava claros sinais de que havia bebido.

Todos se entreolharam. Fúlvio foi até sua mesa, retirou da gaveta a máquina, com alguma dificuldade, colocou nela o papel e virou-se para Dimas Filho:

– Então, Dimas, que cigarro estás tomando?

8

Jayme Keunecke, o Jotaká, no início dos anos 60, assinava a coluna "Ponto morto", feita de tópicos revisados com rigor por Ernesto Corrêa, que não admitia "notícia plantada". Jotaká não esquece:

– O doutor Ernesto me repetia sempre: se não tiver certeza, não coloca. Não põe "deverá". Apenas "será". Fulano "será" presidente disso ou daquilo, nunca "deverá". Outra lição de Ernesto: seja sintético, três linhas para cada notícia de coluna. Eu trazia a notícia, ele apimentava. Foi um sucesso.

A esse tempo, alguns jornalistas misturavam a tarefa de buscar notícias e angariar anúncios. E, no caso de Jotaká, em períodos eleitorais, todos os políticos, para obter as graças do colunista, encaminhavam através dele os famosos "santinhos". Como os jornais só aceitavam publicidade de candidatos e partidos mediante pagamento à vista, era comum ele chegar à redação com pacotes de dinheiro vivo e já descontar sua comissão.

Com isso, Jotaká proporcionou noites memoráveis de festa e boemia aos parceiros de redação. Mais de uma vez ele literalmente fechou a boate "Joá", localizada em Ipanema, na zona sul da cidade, assim como inesquecíveis foram algumas farras na boate "Amigo Velho".

Por essas e outras, além da incompatibilidade de gênios, terminou seu primeiro casamento com Marilene Kaiser. Mas fez questão de festejar. Mandou fazer um terno especial, entregou dinheiro para que Marilene comprasse vestido novo e fosse ao cabeleireiro, depois compareceram ao cartório com toda a elegância, antes de almoçarem no Plaza Hotel.

Um espantado oficial de cartório lhe perguntou:

– Nessa elegância, até com flor na lapela, com certeza desistiram da separação?

– Casar e descasar é a mesma coisa – respondeu Jotaká. Com um enorme sorriso nos lábios.

Antes de se tornar colunista, Jotaká foi repórter, responsável por um "furo" inesquecível. Só que, desta vez, a vítima foi o *Diário de*

Notícias, e, por muito pouco, ele não teve ali mesmo encerrada a sua carreira. Foi em 1958:

– Inauguração da ponte do Guaíba. A direção do DAER convida os jornalistas para conhecer a obra. Atravessamos a ponte, fomos almoçar do outro lado do rio. Na volta, paramos na ponte elevadiça, nos mostraram como ela funcionava. O Antônio Carlos Ribeiro, que, além de repórter, era também redator-chefe do *Correio do Povo*, saiu do carro do jornal carregando pelo braço um velhinho de chapéu, todo de preto. Encostou o velhinho no parapeito da ponte e o fotógrafo "pá", bateu a foto. Voltei para o jornal, doutor Ernesto estava de plantão, era folga do Josué Guimarães, o redator-chefe. Ele perguntou: "Então, Jotaká? alguma novidade?". Eu dei todos os detalhes sobre a ponte, tantos quilômetros até a ponte elevadiça, tantos minutos etc. Ele fez a manchete: "Porto Alegre ligada ao Sul". E a manchete do *Correio do Povo* era ilustrada com a foto do Borges de Medeiros: "O passado contempla o futuro". O Ernesto queria me matar! Como é que eu ia saber que o velhinho de chapéu era o Borges de Medeiros?

9

Luiz Carlos Vaz foi secretário de redação do *Diário de Notícias* e conta:

– O responsável pelo arquivo fotográfico, Alcebíades Pujol, gostava de se vangloriar: em seu arquivo não faltava nada, tinha fotos de quem quer que fosse. Num dia de bravatas, chamei-o e pedi que me alcançasse com urgência uma foto do "Dr. Honoris Causa", pois precisava fechar uma página naquele momento. "É pra já", disse ele. Foi para o arquivo, ao lado da redação, e começou a abrir e fechar aquelas pesadas gavetas de metal. Passado algum tempo, voltou e pediu para repetir o nome da pessoa. Soletrei e disse que a foto havia saído na semana anterior. E reiterei minha pressa. Novamente gavetas se abriram e se fecharam e mais duas vezes o Alcebíades voltou em busca de detalhes. Àquela altura, a redação toda estava às gargalhadas. Foi quando seu Olinto, percebendo a brincadeira, perguntou ao Alcebíades o que estava havendo. "Não consigo encontrar a foto desse Dr. Honoris Causa". Olinto levantou de sua cadeira, colocou as duas mãos sobre a mesa, como costumava fazer quando estava insatisfeito, olhou para ele e perguntou: "Tu ainda não viste que estão gozando contigo?". Alcebíades ficou muito tempo sem falar comigo.

10

Índio Vargas, repórter, precisava ir ao Rio de Janeiro tratar de assuntos pessoais. Sem dinheiro, procurou Favorino Mércio, subchefe da Casa Civil do Governo do Estado, e conseguiu dele uma passagem de ida e volta, cortesia da VARIG, chamada GC (grátis condicional).

– Fiquei um dia lá e, na hora de retornar, quando cheguei no balcão da VARIG, no aeroporto, a moça responsável pediu minha identidade para o embarque. Ocorre que a passagem estava em nome de Favorino Mércio. Eu disse que tinha sido assaltado, estava sem documentos. Ela foi inflexível: só embarcaria se alguém no aeroporto confirmasse que eu era Favorino Mércio. Fiquei em pânico, não conhecia ninguém. De repente, vejo uma movimentação e era Assis Chateaubriand que chegava. Fui em direção a ele e lhe disse: "Dr. Assis, estou salvo". Expliquei a situação e pedi a ajuda dele. "Você quer que eu vá lá mentir! Nunca fiz isso ao longo de toda a minha vida." Disse isso em altos brados, para que todos ouvissem, mas ao mesmo tempo mandou que um de seus acompanhantes fosse até o balcão e atestasse: eu era mesmo Favorino Mércio.

11

O jornalista Enedy Rodrigues Till, ao ingressar no *Diário de Notícias*, no início da década de 50, foi encarregado da cobertura do carnaval oficial de Porto Alegre. Ele próprio narra:

– Criei um decreto para o reinado momesco. Num dos artigos estatuí que era totalmente proibida a presença da tristeza durante os dias da festa popular. E um morador de lá me mandou uma carta reclamando contra aquele dispositivo legal, afirmando que o bairro Tristeza jamais poderia ficar de fora dos folguedos carnavalescos etc. e tal.

12

Esta história foi lembrada pelo jornalista Lauro Schirmer.

O repórter Cipriano Bernd tinha por hábito acompanhar Ernesto Corrêa nas madrugadas, até a hora em que o jornal começasse a circular.

Postava-se à frente da rotativa, apanhava um dos exemplares, admirava os títulos, fazia um comentário elogioso e depois pedia ao diretor um autógrafo na primeira página.

13

Clóvis Camargo Ott:

– Meu primeiro dia de trabalho no *Diário de Notícias* foi de glória e de vergonha. Fui designado para ir ao Hospital Moinhos de Vento ver se conseguia algo sobre o primeiro reimplante de mão no Brasil. Um homem tinha decepado a mão numa serra elétrica, cortando lenha em Lajeado. Trouxeram o cara "punheta" para Porto Alegre, e o que havia sobrado da mão, numa bacia com gelo, para ver o que se podia fazer. Como era o meu primeiro dia de trabalho, eu estava todo metido a besta: terno, camisa, meia, gravata e sapato combinantes (afinal, agora eu era um jornalista). Só faltou abrirem alas quando cheguei, com o Dalton Carvalho, fotógrafo, atrás de mim, enquanto faziam de tudo para barrar os malvestidos, suarentos e cabeludos coleguinhas do *Correio*, da *Folha* e da *Zero Hora*. (Dias depois eu seria mais um dos malvestidos, suarentos e cabeludos.) Vestido daquele jeito eu estava mais pra médico ou diplomata do que pra foca. Resultado: conversa com freira, puxa assunto com enfermeira, elogia o hospital, faz que já sabe de tudo, disfarça daqui, pergunta dali, furunga de lá, quando vi estava sentado ao lado da cama do infeliz, com ele já acordado e lúcido, família em volta, me contando a história, e o Dalton se lavando em fotos. Dia seguinte, rombo geral. Chamada com letras garrafais, e foto na capa. Lá dentro, dois terços de página *standard*, exclusiva e bem ilustrada, contando tudo, tintim por tintim. Os outros jornais deram uma nota com meia dúzia de linhas, dizendo que o cara estava bem, mas no isolamento. "Teremos mais detalhes quando ele for liberado pelos médicos."

"No mesmo dia, com a mesma roupa, mas com fotógrafo diferente (agora era o Fausto Xavier), me toquei para a Cúria. Dom Vicente estava fazendo 'aniversário de pastoral'. A minha cabeça queimava na dúvida. Como tinha estudado em colégio de padre a vida inteira, fiquei com a impressão que os caras dessa hierarquia eram uns deuses e que, quando eu chegasse perto, tinha que beijar a mão. Caí na asneira de perguntar pro Xavier o que ele achava. 'Claro que tem', disse ele. E mais: 'É o teu primeiro dia, se não beijares, ele vai se queixar à direção do jornal, vais para a rua e a tua carreira acaba aí'. Fim de tarde, sino da Catedral tocando. E eu, bem embaixo, com aquele som todo me estourando os ouvidos. Por um canto do pátio interno da Cúria surgiu aquela figura santa, alva, com doçura nos olhos, sorriso nos lábios e um enorme anelão no dedo. Tremi. Beijo ou não beijo? E o Xavier me cutucando: 'Beija, beija'. E eu, pra mim mesmo, valentão: 'Não beijo, não beijo. Afinal, não sou papa-hóstia... não sou católico... nem tenho religião... sou um jornalista, e trabalhando...'. Ele, atravessando o pátio e chegando perto. O meu pânico aumentando. 'Beija.' 'Não beijo.' Dom Vicente me estende a mão do anel. A pedra faiscou no meu olho. Minha resistência se esfacelou. Inclinei-me em direção à mão dele. Ele segurou firme a minha e puxou-a para baixo. Desesperei-me. Puxei a mão dele para cima e inclinei ainda mais a cabeça na direção da mão dele. E ele, firme, segurando a minha mão, embaixo. Entrei em pânico e dei um puxão na mão dele fazendo biquinho para disparar o beijo, de bunda pra cima. Dom Vicente, mantendo a mão do anel quase na altura dos seus joelhos e com a minha presa a ela, me alisou a cabeça com a outra: 'Deixa, meu filho, deixa. Eu dispenso essas formalidades'. Por trás de mim, explode uma gargalhada, e, roxo de vergonha, só vejo a silhueta do Xavier se mijando de rir atrás de uma coluna".

14

Paulo Corrêa, Paloca, o mais velho dos filhos homens de Ernesto Corrêa, é apaixonado por futebol e pelo Grêmio.

Seu cunhado Edegar Kramer Oliveira, casado com Lia, conta uma história sobre essa paixão:

– No intervalo de uma das peladas de sábado, na casa do Paloca, nós estávamos sentados junto a um muro, e o Paulo fez questão de confessar: "É uma coisa fantástica. Vou dizer uma coisa pra vocês. Eu sou fanático. Vou dizer mais. Se você botar a Brigite Bardot nua aqui e uma bola ali, eu confesso, eu vou na bola".

15

Ruy Teixeira foi durante muitos anos chefe do Departamento de Publicidade do *Diário de Notícias*. Era um tipo simpático, bonachão.

O publicitário Orcy Brasil aprendeu com ele os segredos da arte de vender anúncios. Depois de alguns meses de trabalho, Ruy lhe disse:

– Já estás em condições de tirar um anúncio do *Correio do Povo*.

Lá foi Orcy apresentar-se ao gerente do róseo e propor a publicação inusitada.

Só compreendeu a brincadeira quando retornou e transmitiu a Ruy Teixeira os agradecimentos pela visita e o abraço do gerente do *Correio*.

Em meio às gargalhadas de toda a equipe da publicidade.

16

Na década de 60, as mulheres começaram a chegar em massa às redações. No *Diário de Notícias*, Vera Zílio, Ione Garcez Vieira, Helena Lemos e Nubia Silveira foram admitidas quase ao mesmo tempo.

Olinto de Oliveira, secretário de redação, chamava-as de "moças". E as numerava. Vera: moça 1, Ione: moça 2, Helena: moça 3, Nubia: moça 4. E quando ele as chamava, todas se empertigavam. Ocorreu certa vez:

– Moça...

Elas se estreolharam.

– ...4!

Nubia apresentou-se. Ele a esperava de pé, mãos apoiadas sobre a mesa, como era seu jeito.

– A senhora leu o seu texto?

De cabeça baixa, responde:

– Não.

– Pois saiba que até Rui Barbosa revisava os seus escritos.

17

Relatos do jornalista Madruga Duarte:

– O famoso capitão Erasmo Nascentes, um verdadeiro professor de jornalismo, tinha estatura de menino. Apesar disso, foi membro das Forças Armadas e, enquanto tenente do Exército, serviu em Livramento. Lá, foi a um cabaré, como então eram denominadas na fronteira as casas famosas de prostituição, mas foi barrado pelo porteiro.

"– O senhor não tem altura para entrar nesta casa.

"O capitão voltou ao alojamento, pegou uma pistola 45 e, ao chegar à porta do cabaré, colocou a arma de pé sobre a cabeça:

"– E agora – disse –, tenho altura?"

18

Quando dirigia a redação de *A Hora*, no prédio da avenida São Pedro, de quatro andares, capitão Erasmo foi informado pela mulher do artista plástico Nélson Boeira Fäedrich que a Miss Rio Grande do Sul estava embaixo, na portaria, vinha visitar a redação.

– Ela trepa?... – perguntou o capitão.

A esposa de Nélson Boeira ficou vermelha e ele completou:

– Porque, caso ela não trepe, eu vou até lá embaixo recebê-la.

19

Carlos Fernando Karnas, chefe de reportagem da equipe que buscava revitalizar o jornal, nos idos de 1973:

– O cantor e ídolo Roberto Carlos, no auge da carreira, tinha programado um grande show em Porto Alegre. Chegaria à tarde no aeroporto Salgado Filho, no jatinho dele. Recebo a informação de que havia uma multidão de mulheres e meninas adolescentes, completamente histéricas, esperando o "Rei". Estava a maior confusão. Rapidamente desço um andar, vou ao laboratório fotográfico, e peço para o chefe da fotografia ir para o aeroporto registrar o tumulto. Uma hora depois ele volta. Pergunto se tinha conseguido boas fotos. Ele fez sinal positivo e apressou a revelação do filme. Quando o contato das fotos chegou às minhas mãos, quase caí para trás. O fotógrafo do *Diário de Notícias* (aquele jornal que a gente estava lutando para modernizar, ser ágil, atuante, presente, jornalístico, com flagrantes do dia) tinha conseguido o impossível. Ele não registrara um único flagrante do tumulto na chegada do Roberto Carlos no aeroporto. Mas, sabe Deus como, conseguiu que aquela centena de mulheres, todas histéricas, se aquietassem e, perfiladas, embonecadas, arrumadinhas, posassem em volta do ídolo e ao longo do jatinho dele, na pista do aeroporto. Exaltado, perguntei como ele conseguira aquela proeza. Disse-me com ar cansado: "Chefe, não foi fácil acalmar todas aquelas moças. Deu um trabalho danado fazer com que elas ficassem quietinhas ao lado do Roberto Carlos. Ainda bem que ele me ajudou a acalmar as fãs para a foto. Foi por isso que demorei tanto para voltar para a redação com as fotos que o senhor me pediu.

20

O jornalista e escritor Janer Cristaldo estava no *Diário de Notícias* em 1974 e lembra um episódio invulgar de que foi protagonista:

– Verdadeira praga havia inundado a rua da Praia, aqueles meninos e camelôs soprando bolhas de sabão. Uma amiga gaúcha, incomodada com a coisa, pediu-me providência. "Xá comigo", disse. Mandei carta para o "Correio do Leitor", do *Correio do Povo*, assinada pela enfermeira Kátia Meleu Gomes. Havia uma epidemia de meningite na época. Analisei as contradições objetivas do real, como dizia então o pessoal do Partidão, e denunciei o risco de contágio. A carta foi publicada na edição de 13 de agosto. A Kátia morava na Cavalhada e havia atendido um menino que, por sinal, soprava bolhas de sabão na rua da Praia. Para minha surpresa, no mesmo dia, às onze da manhã, a *Folha da Tarde* mancheteava: "A bolha que pode ser assassina". E a notícia, com foto mostrando bolhas sinistras flutuando no ar, dizia que "A denúncia formulada pela enfermeira Kátia Meleu Gomes no 'Correio do Leitor', edição de hoje do *Correio do Povo*, teve constatação esta manhã na rua da Praia. Diversos camelôs continuavam a assoprar bolinhas de sabão que, conduzindo saliva, podem transformar-se em veículo de germes transmissores de meningite, caso os vendedores sejam portadores do mal. A enfermeira Kátia Meleu Gomes atendeu um menino portador de meningite e que dedicava-se à venda dos canudos na rua da Praia, espalhando, sem saber, a doença pelos que, passando pelo local, recebiam os balões nas bocas ou os estouravam com as mãos, que posteriormente poderiam ser levadas à boca. À Secretária da Saúde cabe a decisão imediata de proibir o trabalho dos vendedores que, além do mais, perturbam o trânsito". Foi um santo remédio. À uma da tarde, o então secretário da Saúde, Jair Soares, mandou recolher camelôs e canudinhos da rua da Praia.

21

Janer Cristaldo era redator quando certa madrugada irrompeu um incêndio na rua Voluntários da Pátria. Ele estava deixando a redação e no corredor o esperava a turma de sempre, para uma ronda de boemia pelos bares da cidade. Para seu desespero, Olinto de Oliveira o chama:

– Olha, estamos sem repórteres, tem um incêndio aqui pertinho.

– Mas seu Olinto, eu sou redator.

– É, eu sei. Mas dá um pulinho até lá. Pega uma foto e faz um texto-legenda.

Janer foi. E não esquece:

– O fotógrafo deitava-se no chão, parecia que apostava seu futuro naquelas fotos. Eu, mal anotei a esquina do incêndio, dei no pé. O pessoal na rua insistia em me passar informações, mas eu só pensava em cair fora da redação. Voltei a pé, disse ao fotógrafo que seguisse mais tarde com as fotos. E redigi, no estilo mais brega de jornalismo: "Pavoroso sinistro ocorreu hoje, às duas horas da madrugada, na Voluntários da Pátria, esquina tal. Pronto acorreram os bravos soldados do fogo etc.". Entreguei a lauda, ajuntei meus trapos e fui reunir-me à turma que ainda me esperava. Quando estava na porta da redação, lá do fundo da sala, seu Olinto me perguntou:

– Quais foram as causas?

Não tive dúvidas:

– Desconhecidas.

Eu já descia naquele antigo elevador de portas pantográficas da redação, quando ouvi ainda, lá longe, o seu Olinto:

– E os prejuízos?

O elevador foi descendo, enquanto eu gritava:

– Incalculááááávvveeeeiiiiisssss.

22

Sílvio Lopes começou sua carreira profissional no *Diário de Notícias* como diagramador e foi, como tantos outros iniciantes, vítima de uma brincadeira muito comum à época.

Enir Borges foi quem lhe pediu que fosse até o primeiro andar, onde estavam instaladas as oficinas, e lá apanhasse uma calandra*.

Ele foi. Deparou-se com a enorme prensa fixada no chão.

23

O repórter Wilson Müller acompanhou o candidato ao Governo do Estado, Ildo Meneghetti, na campanha eleitoral de 1954:

– Em Bossoroca, interior de São Luiz Gonzaga, prepararam um grande churrasco para o candidato. Gente para todo lado, cavalos, carroças, jipes, foguetes, música, enfim, uma festa da democracia. O patrão do CTG, saudando a senhora Judite Meneghetti, esposa do candidato, falou alto e em bom som: "Em sua homenagem, a nossa prenda mirim vai recitar a poesia 'Égua Velha'". Era só gente voando para todos os lados...

24

A propósito de Ildo Meneghetti, há uma tirada de discutível humor quando da chegada de Assis Chateaubriand a Porto Alegre, para o lançamento do vinho "Velho Capitão", homenagem do industrial Carlos Dreher ao comandante dos Diários Associados.

* Prensa usada para produzir matrizes utilizadas na impressão do jornal.

Chateaubriand era costumeiramente recebido pelas principais autoridades sempre que chegava a qualquer Estado. E estavam todos na pista do aeroporto Salgado Filho naquele dia. Dois enfermeiros carregaram nos braços o corpo entrevado de Chatô, até uma cadeira de rodas. Meneghetti vira-se para Dreher:

– Ele está assim de tanto beber os teus vinhos.

25

Esta história foi presenciada pelo jornalista Cecílio Pereira, repórter político do *Diário de Notícias,* e narrada ao colega Antônio Goulart.

Chega a Cacequi uma caravana de líderes da antiga Arena, entre eles Synval Guazzelli, já indicado governador, o vice, Amaral de Souza, o candidato ao Senado, Tarso Dutra, e seu suplente, Otávio Cardoso.

A presença ilustre na cidade é destacada com antecedência pela rádio local. Todos foram citados com seus nomes completos: Synval Sebastião Duarte Guazzelli, José Augusto Amaral de Souza, Tarso de Moraes Dutra. Por um equívoco da organização da campanha, o suplente, Otávio Omar Cardoso, teve omitido um dos prenomes. Apareceu apenas Omar Cardoso, nome de um astrólogo muito popular à época, com um programa diário na Rádio Farroupilha, no qual lia o horóscopo e respondia a consultas dos ouvintes.

Como é fácil supor, dezenas de cacequienses, depois de ouvirem o convite para o comício, procuraram a caravana no hotel em que os políticos estavam hospedados. Todos em busca de conhecer o seu futuro junto a Omar Cardoso.

Otávio, marido da jornalista Ana Amélia Lemos e hoje afastado da política, consciente do equívoco, não se fez de rogado e não decepcionou os eleitores. "Leu" a mão de dezenas de senhoras e senhoritas pressurosas em saber detalhes sobre futuros amores, casamentos etc.

26

Em 1964, Sérgio Jockymann estava na direção da Rádio Farroupilha e tinha uma coluna semanal no *Diário de Notícias*, na qual contava histórias da imaginária Vila Velha. E não esquece:

– No dia 31 de março, fui com o Ibanor Tartarotti ao Palácio Piratini. O governador tomava café em volta de uma enorme mesa redonda. O Tartarotti queria porque queria que prendessem o Brizola, que estava num apartamento na rua Duque de Caxias. Desanimado, me apanhou pelo braço e me levou para o gabinete do governador, que estava vazio. Estávamos discutindo a situação quando o telefone tocou. O Tartarotti atendeu e, para meu espanto, começou a disparar ordens. "Tire o seu regimento daí, feche a estrada". Durante quinze minutos, vi o Tartarotti se transformar em general e organizar as forças militares no Estado. Da única vez que puseram em dúvida a sua autoridade, ele disse: "Meu amigo, não interessa quem eu sou. Ordens são ordens. Cumpra as ordens que recebeu e faça a sua parte". Aqueles quinze minutos me deram uma idéia sobre a irrealidade brasileira que nunca esqueci. Manda neste país quem atende primeiro o telefone.

27

O repórter João Paulo Trindade reuniu um grande grupo de jornalistas para comemorar seu aniversário no restaurante China Gorda, no Menino Deus. A casa, tradicional reduto de boêmios, era conhecida pelo prato principal – galinha ao molho pardo – e pela figura do proprietário, um homossexual balofo e corajoso. Mais de quarenta pessoas comeram e beberam até a madrugada. Quando deixaram o restaurante, decidiram, sob o comando do chargista Sampaulo, assumir o comando do bonde da Carris, linha Menino Deus, que tinha final na rua José de Alencar, quase esquina com a Praia de Belas, onde hoje situa-se o hospital Mãe de Deus. Dispensaram o fiscal, o cobrador e o motorneiro e seguiram sem escalas até o centro da cidade. Foi uma confusão. No dia seguinte, boa parte do grupo foi ao gabinete do prefeito Leonel Brizola intervir para que os funcionários da Carris não fossem demitidos.

28

Outra figura inesquecível do *Diário de Notícias* foi Antônio Onofre da Silveira que, durante mais de trinta anos, assinou a crônica "Ronda", dedicada à poesia e a noticiar artes e espetáculos. Dentista, durante o dia dedicava-se à profissão e, à noite, depois de passar pela redação, percorria os bares e restaurantes da cidade em intermináveis jornadas boêmias. Natural de Porto Alegre, amigo de Lupicínio Rodrigues e compadre do ator Grande Otelo, tornou-se uma das mais populares figuras da noite porto-alegrense.

Sempre com um sorriso nos lábios, amava a vida intensamente e, por isso, o amigo e colega Glênio Peres escreveu uma canção-epitáfio em sua homenagem:

"Morreu Antoninho Onofre/ Homem bom estava ali.../ Até a lua de triste,/ Não passa mais por aqui!//

Quem gosta da noite sofre!/ Morreu Antoninho Onofre...//

Toda rua tem seus bares/ Que são dos tristes, o ninho,/ Os bares do céu se abriram,/ Pra receber o Antoninho."

A canção ficou famosa entre os amigos, mas Antônio Onofre, com medo da morte, tinha pavor de ouvi-la e, sempre que encontrava Glênio, dizia-lhe que iria enterrá-lo.

E assim aconteceu. Embora vítima de um acidente vascular cerebral na Páscoa de 1984, Antoninho só faleceu em março de 1988, exatamente um ano depois da morte de Glênio Peres.

29

Uma cena de cinema, na etapa final da história dos Associados no Sul. Estácio Ramos, diretor-geral, e Clementino Pinheiro, diretor-financeiro, acertaram a venda da fazenda Chambá para a Avipal. Tratava-se de uma área de quase quatrocentos hectares, com inúmeras benfeitorias, e o dinheiro destinava-se a pagar direitos trabalhistas. Um dado relevante, aliás: os Diários Associados pagaram todos os seus débitos no Rio Grande do Sul, inclusive os de ordem fiscal. Naquele momento, no entanto, havia débitos bancários, e o cheque recebido da Avipal, se fosse depositado, seria imediatamente bloqueado pelo Banrisul. Estácio e Clementino não tiveram dúvidas. Armaram-se de revólveres e duas enormes sacolas e foram retirar o dinheiro na agência central do banco. No trajeto até a esquina da rua General Câmara, em meio à praça da Alfândega, andaram apressados, de revólver nas mãos, olhando para os lados, assustados, o coração aos pulos.

Hoje, ambos reconhecem: se alguém os assaltasse, não saberiam o que fazer.

30

Édison Nequete atuou durante muitos anos no *Diário de Notícias*.

"Do bem humorado Ernesto Corrêa – escreveu Nequete – há todo um folclore. Um dos nossos entregava os originais repletos de 'x' cobrindo as palavras que se arrependera de escrever. O doutor Ernesto chamou-lhe a atenção não se sabe quantas vezes, até que, uma noite, perdeu a paciência. Avançou contra a máquina do nosso amigo e quebrou a tecla 'x'. E recomendou: 'Continue escrevendo nesta máquina'. Horas mais tarde, explodiu em gargalhadas quando o admoestado colocou em sua mesa páginas riscadas não mais com 'x', mas com 'z'."

31

Década de 40, tempo de racionamento de gasolina, efeito da guerra. Ernesto Corrêa comprou um *sidecar* para o *Diário*. Imaginou aquele como o veículo econômico ideal para transportar repórter e fotógrafo.

E decidiu ele mesmo experimentá-lo. Convidou o repórter policial Wilson Watson Weber e, de carona, espremido no banco, o filho Paulo Corrêa, o Paloca. Ernesto rumou para a Zona Sul e, numa curva, no bairro Ipanema, perdeu a direção e quase destruiu o veículo. Sorte que o repórter e Paloca imprensavam um ao outro no banco lateral, do contrário Wilson teria voado com o choque na árvore. Com trágicas conseqüências, certamente.

Tão logo viu o *sidecar*, Oddone Greco decidiu que era hora de trabalhar no *Diário de Notícias*. Seu pai, o velho Januário, ficou feliz, imaginando que o filho finalmente criara juízo. Ele tinha prestígio junto à direção, seus cinemas eram bons anunciantes. Oddone foi ser repórter de rua, além de entregador de jornais aos assinantes. Na realidade, o único interesse dele era fazer molecagens com o *sidecar*. Muito cordial, dava carona para um e outro, sempre com trotes premeditados. Uma tarde, depois de bem treinada a manobra e o roteiro, ofereceu carona ao médico João Lisboa de Azevedo. E sugeriu uma volta pelo porto para que o convidado pudesse apreciar melhor a maleabilidade da moto. Pôs-se a correr na beirada do cais, o lado do passageiro no ar, sobre a água. E driblava as cunhas de amarração dos navios. Terminada a demonstração, o médico agradeceu, de pernas trêmulas, desistiu da carona e voltou de táxi.

A carreira jornalística de Oddone terminou depois da madrugada em que foi buscar os jornais na expedição do *Diário* e se deu mal ao fazer, em alta velocidade, a curva brusca da rua da Praia para a Ladeira. Entrou, com *sidecar* e tudo, vitrine adentro de uma loja.

32

Paulo, o Vagareza, era um contínuo de baixa estatura, atarracado, que caminhava sem pressa. Solícito, logo prontificou-se a resolver o problema, quando o major chegou à redação reclamando de um vazamento no banheiro de casa.

Ernesto perguntou se ele entendia mesmo de instalações sanitárias, antes de autorizá-lo a ir ao apartamento providenciar o conserto.

Bem que a empregada da casa estranhou quando Vagareza bateu à porta e informou que vinha por ordem do patrão e se dirigiu ao banheiro.

No início da noite, Ernesto recebeu telefonema de um vizinho, do apartamento localizado em frente ao seu. Esbravejando, enfurecido, queria saber onde estava o contínuo.

Vagareza havia trocado o endereço e destruído o banheiro do vizinho de Ernesto, à procura de um defeito inexistente.

Última página

Manhã de domingo, 19 de outubro de 2003, primeiro dia do "horário de verão". Houve um natural descompasso de tempo. Mas Jayme Keunecke, o Jotaká, chegou para a gravação. Entrou sobraçando uma página de jornal emoldurada: "Campeões de jornalismo em 1968". Edição do *Diário de Notícias* de 5 de janeiro de 1969.

Nela, o registro da façanha de um time vencedor que eu ajudara em parte a formar, como secretário de redação, sob os olhares de Ernesto Corrêa e a orientação de Nélson Dimas Filho: de oito concursos dos quais participara ao longo do ano anterior, o jornal obteve seis primeiros e três segundos lugares. Nubia Silveira e Vera Zílio, com seus rostos jovens, despontam no alto da página. Dois fotógrafos: Dalton Carvalho e Luiz Fausto Xavier. Mais o redator Liberato Vieira da Cunha, e os repórteres Luiz Carlos Vaz, Segundo Brasileiro Reis, Wilson Müller e, é claro, Jayme Keunecke.

Um campeão sem concurso: Edemar Ruwer, autor da série de reportagens, de repercussão internacional, sobre os descaminhos do contrabando na divisa com o Paraguai. Ele foi assassinado, algum tempo depois, quando já tinha deixado o jornal. E Dalton Carvalho, o fotógrafo que o acompanhou nas peregrinações pela fronteira, morreu atropelado. Vidas audaciosas, estranhas mortes.

Jotaká trouxe histórias anotadas: um desfile de nomes, circunstâncias, episódios, "furos". Ao fim do depoimento, restou, no meu escritório, a página em sua moldura. À noite, refeito do reencontro, fiz-lhe um telefonema agradecido.

A pesquisa já tinha alcançado bom ritmo.

E no dia seguinte comecei a escrever este romance.

O trabalho de resgatar as histórias do *Diário de Notícias* e de Ernesto Corrêa foi desafiante e prazeroso. Com lembranças, reencontros e afetos renovados. Muitas ausências, todas elas embaladas pelos ventos de uma saudade amorosa.

A vida, na verdade, andou me recomeçando nestes últimos tempos. E recordar os primeiros anos de jornalismo transportou-me para um tempo de sonhar, acarinhado pelos resmungos das locomotivas da Viação Férrea.

Marcelino Ramos, minha pequena cidade, era, à época, importante centro ferroviário. Aos quinze anos, eu estava na redação do jornal *O Semeador,* e quase todas as noites descia até a gare para esperar a chegada do "noturno". No vagão dos Correios, sempre sobravam livros, jornais e revistas.

Mais que isso: na estação, em meio à fumaça, mulheres elegantes e sedutoras. No meu imaginário, cenas de cinema. Ao fazer a baldeação e tomar o rumo de São Paulo e Rio de Janeiro, elas iriam viver, certamente, aventuras maravilhosas.

Tudo me estimulava a procurar muito cedo o caminho da cidade grande.

Nélson Dimas Filho, depois de consultar Ernesto Corrêa, sentenciou: quero um teste forte desse menino! O "forte" acariocado estava pleno de erres, e a chance surgiu quando fui desafiado por Fúlvio Bastos: penetrar nos segredos do mosteiro de São Damião, morada das religiosas da Ordem das Pobres Clarissas Coletinas, na rua Vicente da Fontoura.

Talvez o mais difícil tenha sido convencer o fotógrafo José Alves a acordar na madrugada de um domingo de inverno para acompanhar o repórter. Porque o meu apelo, com certeza comovente, além de uma porção de sorte, sempre exigida no jornalismo, sensibilizaram madre Maria Josefa e ela permitiu que acompanhássemos todo o cerimonial, carregado de simbolismo, do ingresso da nova monja na Ordem.

Fui para a redação, na rua São Pedro. *Correio* e *Diário* não circulavam às segundas-feiras, e o silêncio e a minha solidão eram absolutos no terceiro andar do prédio.

Escolhi, com cuidado, cada uma das palavras.

No domingo seguinte, o texto e as fotos inauguravam uma nova série: a "Reportagem da Semana". No sábado à noite, aguardei, impaciente, na banca central da praça da Alfândega, a chegada da edição de 2 de julho de 1961. O meu nome estava lá, em destaque. Tomei o melhor chope da minha vida.

Na segunda-feira, Ernesto Corrêa deixou a sala de diretor e veio me estender a mão. Começava ali a minha carreira de profissional em Porto Alegre.

Ainda naquele ano, fui o vencedor do Concurso de Reportagens sobre a Feira do Livro, promovido pela ARI e Câmara Rio-Grandense do Livro. Era preciso comemorar, fomos todos para o Bar do Bruno. Chope e fritada (a tradicional caçarola de presunto, ovos e queijo das madrugadas). Dimas Filho ordenou ao garçom que me entregasse a conta: a festa custou 12.500 dos 15.000 cruzeiros do prêmio.

Assim vivíamos aqueles tempos. Éramos jovens, boêmios, destemidos, amorosos. Na redação do *Diário*, conheci a mãe de meu filho Rodrigo, a jornalista Ione Garcez Vieira. E lá fiz alguns de meus melhores amigos. João Paulo Trindade foi parceiro inseparável. Nélson Monaiar tinha um gordini amarelo que nos transportou a inesquecíveis jornadas noturnas. Algumas figuras memoráveis: Baltazar Prates, repórter do setor econômico, vestia-se como um lorde, tinha motorista fardado e fumava charutos.

De lá até aqui, vivemos – cada um a seu modo – uma admirável evolução da imprensa e dos meios de comunicação. É difícil, certamente, para os jornalistas deste novo milênio imaginar que, não faz tanto tempo, um contato telefônico de Porto Alegre com o Rio de Janeiro só era possível depois de quatro horas de espera; que as fotos chegavam por malote; que as notícias das agências nacionais e internacionais eram transmitidas por telégrafo – quem sabe hoje o que é Código Morse?

E como era possível fazer jornal sem fax, e-mails, internet e computadores?

As redações não eram assépticas e silenciosas. Havia barulho, risos, vozes, cheiros, papéis espalhados pelo chão. O calor do chumbo derretido nas oficinas subia pelas paredes. E, em toda a parte, muita fumaça de cigarro.

O livro navegava em bom curso quando recebi uma convocação nunca imaginada: em dezembro de 2004, sou convidado pelo governador do Estado, Germano Rigotto, para assumir o comando da Assessoria de Comunicação do Governo.

Volto aos porões históricos do Palácio Piratini, onde estive como repórter nos primeiros dias da minha vida profissional. Outros tempos e outras circunstâncias. Sempre intocado, o amor ao jornalismo.

Havia um *dead line*, no entanto, no caminho: este livro precisava estar concluído até setembro de 2005, mês do centenário do nascimento de Ernesto Corrêa. A solução foi pedir ajuda a duas mulheres com quem há muito tempo troco idéias e ideais literários: Elizabeth Motta e Maria Moura Baptista. Formamos um triângulo amistoso.

O livro só está concluído porque elas se dispuseram a tecer os fios que ainda estavam esparsos e compô-los com harmonia.

Sempre entendi como dever do jornalista buscar, em qualquer texto, a versão mais próxima da verdade. É o caso. Procurei, neste livro, retratar a história verdadeira de um homem, um jornal e suas circunstâncias.

Muitos são os profissionais que se orgulham de ter pertencido ao *Diário de Notícias*, uma escola, e ter estado sob o comando de Ernesto Corrêa, um mestre. Tenho, cada vez mais forte, uma convicção: o Major e seu *Diário* fazem falta, hoje, à imprensa do Rio Grande.

Suplemento especial I

A história dos Associados do Sul[93]

por Ernesto Corrêa

A incorporação do *Diário de Notícias* aos Diários Associados aconteceu de um diálogo mais ou menos assim:

– Devemos ajudar esse moço. Precisamos de um jornal sério, que tenha a coragem de dizer a verdade e colabore conosco pelo bem do Rio Grande.

– Mas...

– Não tem mas nem meio mas. Decida-se, homem. A coisa interessa também a nós. E muito de perto.

– Está bem. Rendo-me. Essa história foge um tanto aos nossos costumes, mas vamos dar um jeito. Esse moço já havia me interessado, antes mesmo de você me convencer.

– Então?

– Vamos fazer o empréstimo.

Segundo a tradição oral, esse teria sido o debate empresarial travado na austera sala de direção do Banco Nacional do Comércio, numa tarde morna de fevereiro de 1931.

Interlocutores: Felisberto de Azevedo, presidente do Banco da Província, e Frederico Carlos Gomes, presidente do Banco do Comércio.

O moço: Francisco de Assis Chateaubriand Bandeira de Mello.

O jornal: *Diário de Notícias*.

Naquele mesmo dia. Assis Chateaubriand recebe dos dois banqueiros 450 contos de réis – quantia considerável na época. Com ela no bolso, fica pronto para assumir o controle acionário do *Diário de Notícias*.

A operação, inusitada naqueles tempos, espanta os meios bancários. E só não ganha as colunas dos mexericos da imprensa marrom então florescente em Porto Alegre (*A Sogra*, *A Soga*, *O Combate*, *Última Hora*), porque Felisberto de Azevedo e Frederico Gomes não são apenas os guardiões dos dinheiros do povo. São duas legendas intocáveis no alto mundo social e econômico do estado.

– Que loucura emprestar tanto dinheiro a um jornal sabidamente insolvente – diz-se ao pé do ouvido nos cantos das naves das empertigadas catedrais do crédito.

Respondem Felisberto de Azevedo e Frederico Gomes:

– A garantia? A nossa confiança na capacidade desse moço. O aval da sua inteligência, do seu talento e do seu idealismo.

A luta é dura. Começou com os primeiros vagidos da humilde rotoplana instalada em uns gotejantes porões da rua dos Andradas, onde hoje é a Casa Sloper. Uma luta que não pára. Nunca parou. Jamais parará.

Mangas arregaçadas, mãos sujas de tinta, rostos oleosos de suor de mistura com antimônio – Francisco de Leonardo Truda, João Pedro Moura e Raul Pilla, eles próprios, olhos varando a lonjura do seu entusiasmo, partejam aquele número 1 do ano primeiro do jornal que haveria de se inscrever entre os construtores do novo Rio Grande.

Desponta a manhã de sonho de 1° de março de 1925.

Nasce sofrido e agressivo o *Diário de Notícias.*

1926. 1927. Ardor, bravura, desprendimento.

Não há um momento de sossego. Trabalho de sol a sol, noites de vigília, de quase desespero. É amargo o esforço para ensinar o povo a ler um jornal diferente. Um jornal sério como queria Felisberto de Azevedo. O leitor resiste, ainda pingando vergonha do lixo impresso exposto nos cordões das calçadas. Vive a nossa imprensa seus piores dias.

Dias negros de abuso de linguagem, de licença, de desprezo pela dignidade pública e pelo decoro privado. A imagem desfigurada das doutrinas libertárias de Augusto Comte bóia como sombra tutelar dos cupins do imperialismo charrua. As folhas espúrias invadem as ruas, os escritórios, as câmaras administrativas, os grêmios políticos. Não se poupa a própria justiça. Nem os lares são poupados. Viola-se a pessoa humana, sem contemplação nem medida.

Leitores arredios, assinantes esgarçados e anúncios em quase nada. O comércio não se desliga da rotina mural das velhas cepas açorianas. Leopoldo Geyer e Jorge Francke ainda iam inventar, na Casa Masson, a venda a prestações. Só o espírito audaz de Carlos Barth, na sua A Brasileira, à rua Uruguai, tem o topete de erguer a viseira para as primeiras arremetidas contra o misoneísmo da rua da Praia. De quando em quando, espicha o braço para Rui Teixeira, no histórico balcão do Largo dos Medeiros. E no dia seguinte, o *Diário de Notícias* aparece com o reclame bombástico nos desbotados tipos de madeira da Funtimod, corpo 120: "Morim do melhor algodão seridó. Cinco mil-réis a peça".

Não se havia ainda descoberto a publicidade. Ou, como querem alguns, a propaganda. A coisa é mesmo chamada reclame. Depois, certos espíritos mais sensíveis criam o artifício verbal "matéria paga", buscando, gentilmente, disfarçar as vergonhas do dinheiro dado em troca de banalidades mais ou menos inúteis. Só por volta de 1930 a evolução semântica resulta na introdução da palavra anúncio no léxico mercantil. Mas a atitude da maioria das casas comerciais continua nada lisonjeira para com a imprensa. Bem à vista, logo à entrada – à imitação de Dante à boca do Inferno – vistoso cartaz diz: "Aviso. Esgotada a verba para esmolas e reclames". Haveríamos de esperar ainda alguns anos para conhecer o que hoje é uma das coisas mais sérias desta sociedade de consumo retribalizada pela eletrônica. Publicidade. Arthur do Canto Júnior funda em 1933 a S.T.A.R., a primeira agência de "Anúncios e reclames", montada no estado. Mas a S.T.A.R. também come o pão que o diabo amassou para sobreviver. Serve, apenas, de pano de fundo. A fonte de renda principal continua sendo a exploração da vaidade humana. Um novo rico, um ganhador de "sorte grande", um pecuarista de médios rebanhos, um agricultor de colheitas fartas, um advogado de sucesso ou um político ambicioso – eis que, à maneira de Édison, com 99% de transpiração e 1% de inspiração, com algum êxito, de vez em quando acudiam a receita.

Mas a coluna do Deve não cessa de empurrar a do Haver. O confronto é desigual, embora cheio de promessas de glória. Leonardo Truda e Pedro Moura (Raul Pilla abandonara o jornalismo militante para ingressar nas hostes de Assis Brasil) perdem batalhas, mas não querem perder a guerra. Como nos tempos lendários, pelejam e pelejam. Anima-os uma convicção e um ideal. A convicção de que a Lei de Gresham não se aplica à nossa imprensa. E a certeza de que, mais dia menos dia, os bons jornais hão de prevalecer sobre a salsugem. Basta dar tempo ao gaúcho de refletir. Mais cedo do que se espera, o gaúcho abre os olhos, e a esmola de reclame dado de favor e cara amarrada ganha o seu lugar (e que lugar) no professo social rio-grandense. Continuaríamos com o arroz, o milho, o soja, o trigo, o porco, a ovelha, o boi. Mas por cima de tudo a floresta de chaminés riscando nos céus a nossa presença viva no progresso.

O tempo, porém, não é do mesmo parecer.

Os dois mosqueteiros do jornalismo branco, como Moisés, apenas podem entrever ao alto da pedra os rios de leite e mel carregados de leitores e de publicidade. Não lhes é dado beber de suas águas cheias de homens.

Deflagra-se a jornada cívica que haverá de irromper, devastadora, na madrugada de 3 de outubro de 1930 com o histórico "o que é que há" de Oswaldo Aranha. Leonardo Truda e Pedro Moura têm de aceitar a amarga realidade: o *Diário de Notícias* mantivera acesa a chama revolucionária contra os "Quadrados" da República Velha, na primeira de uma série de memoráveis cruzadas cívicas que realizaria pela evolução política e econômica do Rio Grande e unidade do Brasil. Gastara na campanha formidável até o último tostão. A generosa bolsa de José Bertaso e Antônio Mostardeiro exaure-se em sucessivas "listas de resistência". A caixa, irremediavelmente vazia, mostra que raramente patriotismo e dinheiro se casam. E quando se casam vem logo o divórcio. Senão entre os cônjuges, certamente com o povo.

Aparece Assis Chateaubriand.

O exímio especialista na compra de rotativas inválidas sobe, lépido, os trinta e três degraus da velha sede do Largo dos Medeiros. No topo, Truda e Moura o aguardam. Minutos depois o implante está acertado: o *Diário de Notícias* aumentaria o seu capital de oitocentos para dois mil contos que Chateaubriand subscreveria. Os 450 contos da "operação Felisberto de Azevedo" mais trinta tirados do fundo raso do seu pé-de-meia de repórter e professor universitário (Chateaubriand conquistara em memorável concurso, aos 24 anos, a cátedra de Direito Romano da Faculdade de Direito do Recife) completam a quota inicial.

Dia 27 de março de 1931.

O *Diário de Notícias* ingressa na taba dos Associados, ainda de minguados alqueires e miúdos roçados. Mais uma boca para alimentar. E somos apenas meia dúzia de jornais, todos a pelear bravamente pela sobrevivência.

Integrado na cadeia dos Diários Associados, o *Diário de Notícias* em nada muda. Na ponte de comando os mesmos gaúchos pioneiros – Leonardo Truda e Pedro Moura. Nas suas páginas, a mesma idéia-força: o bem da comunidade rio-grandense. Só muda o poder pagador. Isto é a incurável vocação de Assis Chateaubriand para ressuscitar jornais moribundos: muda de caixa. O *Diário* ainda não se livrara do cacoete de perder dinheiro. E o dinheiro lhe vem do Rio, de São Paulo, de Belo Horizonte, onde Assis Chateaubriand atropela infatigavelmente os pobres banqueiros. É uma guerra sem tréguas e sem quartel entre o criador das riquezas e os donos da centelha miraculosa. Lá como aqui, os Fuggers caboclos nutrem uma fé infinita no demiurgo de Umbuzeiro. Sentem que nas veias daquele jagunço de peixeira sempre a pular na bainha corre o sangue que iria projetar o Brasil no mundo com o ímpeto irresistível de uma Pátria digna de conviver e prosperar com os povos decentes.

Mas Getúlio Vargas chama para o seu redil o artífice da primeira página do *Diário de Notícias*. Reconhece o quanto deve ao espadachim da Revolução. Fá-lo diretor do Banco do Brasil.

O convite é uma ordem. E com ordem de chefe revolucionário não se brinca.

Truda entrega a chefia da redação do *Diário* a Fábio de Barros, e chora. E com o capitão intrépido que desembarca do lugre de mil tempestades – o melhor pedaço de sua vida – todos choram.

É rápida a passagem de Fábio de Barros pelo *Diário*.

Envolvido pelos dois grupamentos mais agressivos da Revolução – "Sargentos" e "Tenentes" – que disputam de baioneta calada os postos-chave da Nova Ordem, Fábio não tem artes de evitar o choque. Nem o chá de sabugueiro de Pedro Aurélio de Góis Monteiro – líder dos "Tenentes" – consegue aliviar o bloqueio; Chateaubriand, com sua varinha mágica, aponta a fórmula: Edgar Luiz Schneider. Jornalista de berço, professor universitário por formação e conciliador por vocação. Edgar Schneider rapidamente acerta os relógios. E o *Diário de Notícias* continua a singrar sua rota. Sereno, tranqüilo, firme.

Na linha do horizonte, porém, começam a ganhar formas ameaçadoras os cirros-nimbos que pouco depois desencadeariam tormenta arrasadora sobre São Paulo.

Edgar Schneider é chamado por Alexandre Alcaraz, e o bom filho à casa torna. Volta às salas consulares do *Correio do Povo* e reassume a página editorial do jornal de Francisco Antônio Caldas Júnior. Desse honroso posto só sairia, muitos anos depois, para a imortalidade.

Fausto de Freitas e Castro – tribuno, catedrático de Direito Penal e político – é o novo diretor. Unge-o Chateaubriand, jornalista. O que lhe falta em experiência profissional, sobra em inteligência, vivacidade e cultura. Mas Chateaubriand não quer jogar às feras o catecúmeno talentoso, porém inocente. E lhe dá para apoio e segurança a tarimba, a intrepidez e a capacidade administrativa de Ismael Ribeiro. Na outra ponta, a fidelidade de Arnaldo Fonseca, uma das mais felizes importações que já fizemos à mãe-pátria. Está formado o tripé que enfrentaria a borrasca iminente. A borrasca fratricida de 1932.

1939.

Hitler invade a Polônia. É a Segunda Guerra Mundial.

Nova crise se abate sobre os jornais.

Sem papel de impressão (em sua quase totalidade importado do Canadá e da Escandinávia), sem tinta, sem publicidade (há um recesso natural nos negócios) – só há leitores obviamente cada vez mais ávidos e numerosos. E o *Diário de Notícias* não faz exceção à regra. A situação se agrava rapidamente. Parece que nós também acabaremos devorados pelo delírio assassino que dilacera o mundo.

Mais uma vez a boa estrela do *Diário* brilha. Chateaubriand, infalível como sempre, manda-nos a solução providencial: Carlos Rizzini (1940).

Jornalista, advogado, escritor, filólogo, parlamentar, historiador – Carlos Rizzini reúne a potência de fogo intelectual de Frederico Barata e a latitude administrativa de Armando de Oliveira. O colóide ideal. A combinação que cria os líderes. A combinação do êxito.

Sob o comando geral do biógrafo de Hipólito José da Costa, o *Diário* enfuna novamente as velas. E das marolas do Guaíba às cascatas do rio Uruguai, tudo entra nos eixos.

Está escrito, porém, que não há mal que sempre dure, nem bem que não se acabe. Chateaubriand dá-se tento da ação de Rizzini aqui e o arranca das rosas de Caxias que ele amava com tanta ternura. Leva-o para o mais alto posto dos Associados – a direção geral no Rio. O autor de *O livro, o jornal e a tipografia no Brasil* faz as malas e nos deixa.

O comando doméstico não troca a chapa. João Freire na gerência e Ernesto Corrêa na redação. Agora com um companheiro combativo e brilhante, com o qual partilham a direção: Say Marques.

Inicia-se a fase de expansão dos Associados no Rio Grande do Sul.

Em 1942, instalamo-nos no coração do estado. Flodoardo Silva, farto de enricar com seus Herefords, irrita-se de ver a caixa de *A Razão* mais pelada que barriga de sapo. Decide passar o jornal adiante. Chateaubriand tem notícia da arrelia do fabuloso guasca de Uruguaiana e alivia-o dos pesares jornalísticos. Compra-lhe *A Razão*. Santa Maria, que vinte anos depois seria a capital universitária do Rio Grande, entra para o mapa geocívico dos Associados.

Em lances sucessivos, Assis Chateaubriand adquire a Arnaldo Ballvé o controle acionário da Rádio Farroupilha, o único canal internacional do Rio Grande (1945), e a Arthur Pizzoli, a Rádio Difusora (1944).

Explica-nos Chateaubriand as razões da organização da rede de emissoras dos Associados:

– Nosso negócio – diz-nos o chefe inolvidável – é jornal. Somos jornalistas. Nascemos jornalistas. Mas jornal neste país (de analfabetos – 18 exemplares por mil habitantes, contra 750 na Inglaterra e 350 na Argentina – e sem indústria) é negócio que não paga dividendos. Pelo contrário: enche-nos de dívidas. E como pagar as dívidas? O jeito é o Rádio.

Assim tem sido.

Farroupilha e Difusora são duas infatigáveis galinhas de-ovos-de-ouro. A PRH-2, especialmente, presta relevantes serviços ao estado. Durante a grande enchente de 1941, só a voz da poderosa torre de 198 metros da Ponta Grossa consegue levar a todos os rincões gaúchos a mensagem tranqüilizadora. A PRH-2 é o único veículo de comunicação de massa que resiste à enxurrada. Enquanto isso, vão recheando o baú. E ajudando o irmão mais velho em aperturas – o *Diário*. Graças a essa ajuda – exatamente como previra o olho clínico de Chateaubriand – o *Diário de Notícias* pode aparelhar-se para a fabulosa arrancada de 1950. No timão, agora, o condestável Osvaldo Chateaubriand.

Antes, uma nuvem de tristeza.

Joaquim Pedro Salgado Filho, já nos umbrais do governo do seu estado natal, morre dramaticamente. O avião que o conduz ao encontro de Vargas, em Itu, choca-se num pedaço da terra que tanto amou e perde a vida o varão de Plutarco, a quem Chateaubriand queria um bem infinito. O *Diário* sai em edição extra. Coberto de luto. Ninguém até a madrugada de segunda-feira (o Douglas do comandante Kramer caíra às nove horas de domingo, dia 30 de julho de 1950) admitia a tragédia. O Ministério da Aeronáutica, por ele criado, insistia nos desmentidos. Dona Berta Salgado também não acreditava. Nem o próprio Chateaubriand. Só nós tínhamos certeza da irreparável realidade. O *Diário* ganha as ruas regurgitantes de uma população consternada às lágrimas. Bate um recorde de tiragem. A Duplex, lá do fundo da sua furna cavada na rocha viva, imprime e imprime. Começa às oito horas. As bobinas de papel rolam como toros nas corredeiras. A velha rotativa arfa, mas não pára. Só deixa de resfolegar às oito horas da noite, 164 mil exemplares são vendidos. Dez mil no Rio, transportados pela VARIG. Essa marca perdura até hoje. Com sobras. E Porto Alegre tinha, à época, apenas seiscentos mil habitantes.

Numa tarde oleosa de janeiro de 1950, Osvaldo Chateaubriand e Ernesto Corrêa recebem um Western do Morubixaba:

"Acuem a fera na furna".

Não há mistério na mensagem. Chateaubriand quer saber se Vargas deixaria o seu exílio pastoril para enfrentar Eduardo Gomes na corrida para o Catete.

Enquanto Osvaldo e Ernesto se entreolham (ir a Itu é uma proeza para quem não está psicologicamente preparado), chega outro cabograma:

"Vamos. Agarrem o touro pelos chifres".

Osvaldo e Ernesto vão.

O touro não escarva o chão, mas Alzirinha ruge por ele:

"Se for contra o Brigadeiro, meu pai aceita".

O desfecho também é história – uma página de tragédia que comoveu o mundo.

A "execução" de Vargas do seu rodeio ancestral marca a notável curva ascendente do *Diário*. A nossa tiragem, que vivia a bocejar nos 32 mil exemplares, pula para quarenta, cinqüenta, sessenta mil.

Não pára de subir.

A mão do mestre: Osvaldo Chateaubriand.

O feiticeiro: Assis Chateaubriand.

Como de costume.

Depois, o Dia da Vergonha.

Dia 24 de agosto de 1954.

O populacho alucinado pelo suicídio de Vargas sai às ruas. Busca os espaços livres para a sua explosão de dor. Quer apenas chorar a morte do seu profeta. Desordeiros, agitadores e ladrões, porém, ganham a crista da onda da angústia popular e a dirigem para a depredação, a pilhagem, a anarquia. Os Diários e Emissoras Associados são reduzidos a cinzas. Centenas de estabelecimentos comerciais e industriais são destruídos e saqueados. À luz do dia. Debaixo do nariz de uma polícia fechada a chave nos subterrâneos do Palácio do Governo.

Seis meses – meses longos, febris, insones – custa a Moacir Nobre para remover o entulho de opróbrio.

Breno Caldas – gentil-homem da imprensa rio-grandense – cedenos a antiga Marinoni do *Correio do Povo*. Daquelas ferragens, gastas de trinta anos de uso, arranjadas aqui e ali pela perícia do velho Ezequiel, ressuscita o *Diário de Notícias*.

Dia 6 de março de 1955.

De novo, nas ruas, volta a ouvir-se o pregão tão caro aos nossos corações:

– *Diário*. Olha o *Diário*!

Ano: 1955 – Mês: Maio.

Aqui entra Nélson Dimas de Oliveira.

Viera a mando de João Calmon render guarda a Moacyr Nobre, convocado para outra investidura no Rio. Tudo é pouco menos do que o caos (os D.E.A. haviam sido devorados pelas chamas do "Dia da Vergonha" – 24 de agosto de 1954). Dimas arregaça as mangas e mete mãos à obra. A Farroupilha ganha roupa limpa e sua voz volta a "cobrir os céus do Rio Grande". Repete-se o prodígio mitológico. Nélson Dimas descobre rescaldos onde antes só se viam cinzas inertes. E o milagre acontece. O milagre dos Associados do Rio Grande do Sul. Mas o flamante potiguar sabe que cabra da peste não dorme no ponto. Se dorme não tem estória para contar. Dimas não dorme. É ambicioso e otimista. Aprendera a construir com Calmon. Não desapontará seu mestre. Vai em frente. Não ignora que a velha rotativa Marinoni é apenas um remendo. Serviu, e muito, num momento crucial. A volta do *Diário* era uma questão de honra. E em questão de honra não se regateia. Mas, vencida a fase fatal, é preciso passar a limpo o bom senso. E o bom senso indica um rumo só: o *Diário* não pode continuar atrelado ao ferro-velho francês. Se continuar, morre. Dimas reconhece isso e vai direto ao ponto nodal. Apoiado de perto por João Calmon, compra aos irmãos Anibal e Ernesto di Primio Beck o controle acionário da Gráfica Cital, instalada num esplêndido prédio de quatro pavimentos, especialmente construído para jornal, à rua São Pedro, 733. São quase três mil metros quadrados de sólido concreto. Mas sua posição extrapolada (fica a três quilômetros do centro) não satisfaz Chateaubriand. Quer o coração dos D.E.A. no coração da cidade. Dimas recorda um episódio de 1946.

Chateaubriand, naquele seu passo de galo silvestre em eterna primavera, atravessa a praça da Alfândega em demanda do Grande Hotel. De repente, pára. Sua intuição estética estica-lhe os olhos para um vasto, mas decadente palácio de linhas manuelinas puras. É a sede provisória do Mestre et Blatgé, o embrião gaulês da poderosa Mesbla de nossos dias. Chateaubriand indaga:

– De quem é esta jóia desmontada?

Ernesto Corrêa sabe. De Domingos da Costa Lino.

– O homem vende?

– Acho que sim – responde o repórter.

Domingos da Costa Lino vende. Por 2.250 contos. Quinhentos à vista. Só o conde Modesto Leal pode revelar como Assis Chateaubriand arranjou o dinheiro. Dimas sabe que os D.E.A. não têm meios de erguer o edifício sonhado por Chateaubriand e projetado pelos arquitetos de Dahne, Conceição e Cia. Dimas raciocina: "Se não podemos fazer coisa nova, compremos coisa feita, que nos sirva". E dias depois a combinação está concluída; os D.E.A. trocam o que resta do monumento manuelino pela antiga sede do Banco do Rio Grande do Sul, no centro nervoso da rede bancária porto-alegrense, à rua Sete de Setembro. A sede e vinte milhões em dinheiro quente de quebra.

Assis Chateaubriand gosta. Os D.E.A., afinal, estão onde queria que estivessem. E vem o cabograma: "Preparem-se para receber o nosso Museu de Arte. Vamos civilizar esses gaúchos".

Somente dez anos depois a idéia generosa do Velho Capitão pôde ser realizada. Mas não com os Miguel Ângelo, Rafael, Velasquez, Gauguin, Goya, Van Gogh e Rembrandt do museu pioneiro. Chateaubriand – o mais nacionalista dos brasileiros – quer agora arte nativa para os estados. Telas de pintores brasileiros. É a galeria Rubem Berta, no morro de Santa Teresa. Aí brilham Ângelo Guido, Di Cavalcanti, Pedro Américo, Oscar Pereira da Silva, Pedro Weingartner. Gaúchos, mineiros, paranaenses, paulistas, pernambucanos a mostrarem que a magia das cores não é privilégio dos dois milênios de cultura européia. Há muito bruxo tupiniquim da paleta.

Com a Gráfica Cital, incorpora-se aos Diários e Emissoras Associados mais um jornal, o vespertino *A Hora* e, o que realmente mais importa, uma rotativa Goss, de quatro grupos, recentemente recondicionada nos Estados Unidos.

Está o *Diário de Notícias* de casa nova (1957). Casa e cara nova. E salvo da Marinoni valetudinária. A Goss pode imprimir 64 páginas *standard* a três cores, trinta mil exemplares horários. Nélson Dimas tira uma pestana e põe de novo a mão na massa. Em rápidos galões espeta 105 metros de chão e metal no morro de Santa Teresa, a cavaleiro da cidade, e executa as ordens de João Calmon. Em três mil e quinhentos (depois 6.300) metros quadrados de área construída, monta a TV Piratini.

Numa manhã de sol, a cobrir de lâminas de prata as águas crioulas do Guaíba, o Rio Grande conhece, ao vivo, a maravilha eletrônica do século. A mensagem simultânea do som e da imagem. A Piratini é a expressão altaneira do poder sem limites do homem livre.

Com suas 83 estações repetidoras e o seu possante instrumental da RCA Victor, o Canal 5, "a melhor imagem e o maior alcance", cobre quase todo o território gaúcho e parte de Santa Catarina. Ernesto Corrêa, em nome dos D.E.A., diz as palavras convencionais de abertura oficial de solenidade. A multidão, enlevada, ouve o primoroso discurso com o qual o poeta dos nossos campos, o professor Antônio Saint-Pastous, leva o Canal 5 à pia batismal. Assis Chateaubriand liga a corrente. E a TV Piratini, pioneira no sul do País, orgulho dos D.E.A. do Rio Grande do Sul e menina dos olhos de Nélson Dimas, está inaugurada.

O Rio Grande do Sul entra na era audiovisual. Ganha maioridade tecnológica. Dia 21 de dezembro de 1959.

1968

O Condomínio Acionário dos Diários Associados eleva Nélson Dimas à auditoria geral. Uma folha de serviços impar e qualificações específicas sustentam a merecida promoção.

Humberto Gargiulo é o novo superintendente. Está cheio de idéias e mais cheio ainda de esperanças. É moço e tem fé inabalável. É um otimista. E pensa com Émerson: "Só no dicionário, êxito vem antes de trabalho".

1971

Ibanor Tartarotti acode ao SOS do grande tuscana João Calmon. O coração lhe dispara feliz no peito jovem de gaúcho de Farroupilha. Repete César. Vem, vê e vence. Só que o seu triunfo contraria os maus presságios dos mil Delfos que por aqui pululam. Sua vitória é perene e dá perenidade à sua obra. Tartarotti tem a marca predestinada: talento, cultura, entusiasmo e autoconfiança. A fórmula infalível do sucesso.

Suplemento especial II

Alunos, amigos, afetos

Depoimentos

Um líder, rígido e personalista, para Flávio Antônio Corrêa, o Faveco. Tímido, introvertido e perfeccionista, na opinião de Fernando Ernesto Corrêa, o Nenê. Um homem simples, generoso e explosivo, conforme Paulo Corrêa, o Paloca. E "uma pessoa única, fazia o bem em silêncio, sem que o beneficiado soubesse", na avaliação de Lia.

Este, em síntese, o perfil de Ernesto Corrêa, no traço dos quatro filhos vivos. Alguns netos têm um olhar mais crítico. A opinião é unânime apenas numa das características da família: a passionalidade. A neta Ângela Corrêa Oliveira lembra que se apaixonou pelo jornalismo graças ao avô. Aos treze anos, ela o acompanhou até a rua São Pedro e se deixou fascinar pela máquina impressora jorrando, aos borbotões, exemplares de jornais. Também não esquece as aulas do avô na Faculdade de Jornalismo, mas faz uma ressalva: ele não era uma pessoa fácil.

– E os descendentes – acrescenta –, quase todos, têm, como ele, um temperamento difícil. Mamãe hoje está calma, até pela idade, mas ela foi muito braba e ciumenta. Olha o Paloca e a torcida pelo seu Grêmio. Uma coisa doida.

Outro traço bastante assinalado é a união e a fraternidade dos quatro irmãos. Desde sempre. A morte prematura da mãe, Maria Izabel, fez com que Lia assumisse o lugar de matriarca, e, quando Ernesto morreu, foi a vez de Fernando Ernesto tornar-se o guarda-chuva protetor de todos.

As netas Andréa Corrêa Rangel, Ana Amália, Roberta Corrêa e Maria Izabel, filhas de Helena, já falecida, reuniram-se para dizer em conjunto o que pensam do avô famoso:

– Ele chamava todos nós de senhoras, quando estava brabo. Era muito sério, reservado, não lembramos do vovô sorrindo, fazendo brincadeiras. Um homem corretíssimo, porém distante, de afeto difícil. E tinha o cachorro, sempre junto dele, tratado como um filho.

Entre colegas e amigos, elogios. O jornalista Baltazar Prates chega a dizer que "ele era admirável até mesmo nos seus defeitos". E Daniel Anzanello, parceiro de caçadas, é radical:

– Era amigo e amigo não tem defeito, só tem qualidades. Bom companheiro de caçada, um homem íntegro. Impaciente, é verdade.

Entre os ex-alunos, as opiniões divergem.

Na véspera de completar oitenta anos, Cândido Norberto, aluno da primeira turma de jornalismo da Universidade Federal do Rio Grande do Sul, formada em 1954, não tem dúvidas:

– Ele foi o maior craque de jornalismo que conheci. No *Diário de Notícias*, era o diretor com presença na redação, ele não ficava fechado em gabinete. Nunca foi homem de títulos. Era de trabalhar e, pela capacidade, tinha o respeito e a estima de todos, alunos e colegas.

Assim como Cândido Norberto, dezenas de alunos e profissionais sentaram nos bancos escolares da Fabico, muitos deles se destacaram na profissão, e nenhum passou com indiferença pelas aulas do professor Ernesto Corrêa.

Os depoimentos de tantos que com ele conviveram ajudam a delinear a sua personalidade. Um homem de inteligência incomum e, por isso, quem sabe, dado a excentricidades.

Ademar Vargas de Freitas, jornalista:

– Tratava os alunos e subordinados com respeito paternal.

Antônio Carlos Ribeiro, ex-secretário de redação do *Correio do Povo*:

– Diferenciava-se dos demais professores pelo carisma, pela afabilidade, pelo conhecimento especializado, pela candura.

Aline Corrêa Oliveira, advogada, neta:

– A lembrança que tenho é de um homem que mantinha certa distância, "um homem importante". Ficou também na minha memória a sua figura elegante, passeando com o cachorro e uma coleira de vinte metros.

Ana Luiza Corrêa, administradora de empresa, neta:

– Guardo a imagem de uma pessoa muito misteriosa: trabalhava de noite, dormia com o sol. Então, quando ele aparecia, era alguma coisa máxima. Eu tinha medo de chegar perto do seu escritório, ele batendo nas teclas da máquina de escrever, a gente com a impressão de estar entrando num lugar sagrado e assustador. Temperamental e, ao mesmo tempo, apaixonado pelos filhos, pela família.

Ângela Corrêa Oliveira, jornalista, neta:

– Eu tinha o maior prazer em jantar na casa do meu avô, ele me contava as fofocas do jornalismo, aquele tempo de jornalismo romântico. Lembrava histórias antigas, de reportagens feitas com personagens imaginários, e nelas tinha oportunidade de escrever tudo o que gostaria de dizer contra o governo. Era um tempo em que os jornalistas mandavam; hoje quem manda é a publicidade, os donos de empresa. Eu lembro que, quando chegou o computador, ele disse: "Acabou o jornalismo".

Carlos Urbim, jornalista e escritor:

– Foi um exímio contador de histórias. Ele adorava relatar a fase áurea do *Diário de Notícias*, na sua disputa com o *Correio do Povo*. Sabia hora e data de quando o *Diário* superou ou furou o *Correio*. Tinha um processo de avaliação diferente dos demais professores, sempre muito preocupados com freqüência, com chamada. Ele não dava bola pra isso. A encenação acadêmica não era com ele. Sua aula era muito viva, aproximava bastante os estudantes da realidade da redação. Adorava grandes reportagens, gostava de contar como elas eram feitas. Ernesto era alegre, sempre sorridente e disposto. Representava bem o espírito do jornalismo praticado na época: uma grande dose de romantismo e idealismo.

Cláudio Kuck, jornalista:

– Tive o privilégio de conviver com Ernesto Corrêa em três situações diferentes: como seu aluno no curso de Jornalismo da Faculdade de Filosofia da UFRGS, como seu estagiário e depois como seu repórter no *Diário de Notícias*. Aprendi muito. No começo entrei na onda de vários colegas que viviam criticando o professor de técnica de jornal, "ele só fala e conta casos o tempo todo, não dá exercícios, não mostra como se escreve, não ensina nada". A maioria – principalmente eu – entendeu mais tarde que o mestre tinha razão. Só queria nos passar suas experiências de vida e de jornalista, nos apontar e abrir os caminhos reais e não enveredar pela retórica e o blablablá dos manuais de redação, do lide com seus insossos *o que, quem, quando, onde, como e por que,* ou do controvertido sublide. Um excelente professor! Ele também nos

Ernesto Corrêa no Parque da Redenção.

mostrou a diferença de credibilidade entre os jornais e a fidelidade dos leitores, independentemente da qualidade, velocidade e veracidade das informações dos veículos concorrentes.

CLÁUDIO MEDINA, JORNALISTA:

– Ernesto foi quem primeiro me alertou para a importância da síntese na escrita jornalística. Lembro quando confeccionávamos o Jornal Escola. Pautou-me determinado assunto e eu escrevi umas doze páginas. Ele me perguntou se eu queria escrever o jornal inteiro. "Procura fazer um texto objetivo, conciso e simples", foi a primeira grande lição de jornalismo que recebi. Ingressei na faculdade em 1964, ano em que foi instalada a ditadura militar. Nós, alunos da Filosofia, éramos muito perseguidos pelas forças policiais, a nossa faculdade era a que concentrava os maiores "antros de subversão". Muitos de nossos professores foram cassados, como o falecido Leônidas Xausa.

CLÓVIS MALTA, JORNALISTA:

– Ernesto era um ícone do jornalismo e grande professor. Extremamente jovial, a começar pelas roupas. Eu nunca perdia suas aulas, mais pela figura humana e pelo profissional do que pelo conteúdo. A experiência como jornalista e sua paixão pelo jornalismo eram o mais importante. Ele nos mostrou que jornalismo não era alguma coisa que só empolgava os jovens, empolgava pela vida afora e a todos. Ele trabalhava e dava aulas por prazer. Eu e meus colegas saímos da faculdade nos dias de primavera e íamos para a Redenção, onde sempre encontrávamos o professor Ernesto com a mulher e o cachorro. Eu ficava encantado: ele era uma pessoa jovem como eu na sala de aula e fazia os mesmos programas que a minha turma.

Cristiano Corrêa, publicitário, neto:

– Ele costumava dizer que eu era o neto dele. "Os outros são todos filhos dos meus filhos." Colecionava canivetes, e eu era fascinado por eles. Ensinava-me a usar, de vez em quando me presenteava com um, para desespero de minha mãe. Ela ficava uma arara, imagina um guri de seis, sete anos com canivetes. Mas o fato é que sou louco por eles até hoje e continuo colecionando-os.

Danilo Ucha, jornalista:

– Era um período de muita turbulência política, inclusive estudantil, e meu grupo de amigos – Kenny Braga e Elmar Bones da Costa –, que vinha de um movimento estudantil identificado com a esquerda, encontramos em Ernesto Corrêa uma abertura muito grande para discutir temas que estavam começando a se transformar em tabus. Eu não diria que o professor Ernesto Corrêa era de esquerda, mas tinha aquela abertura natural em muitos jornalistas para conversar com tranqüilidade sobre os temas mais delicados.

Décio Freitas, jornalista e escritor:

– Lembro que Ernesto escrevia a mão. Era explosivo, genioso, temperamental. E generoso. Sabia avaliar o profissional, reconhecer talentos. Inaugurou, no *Diário*, a matéria assinada. Era uma vantagem para o repórter, que ganhava pouco, menos que no *Correio*. Dessa forma, se tornava conhecido. Ele não deve ter deixado patrimônio, nunca utilizou o jornal para fazer dinheiro. Lia muito, tinha uma ótima base cultural. Foi um mestre, um jornalista brilhante. E um homem sedutor.

Dublin Prates, jornalista e advogado:

– O dr. Ernesto era um sujeito muito desligado. Dona Maria Izabel, esposa dele, gostava muito de mim e me pediu uma ajuda, para que o Ernesto comprasse um casa própria. Consegui, com o diretor do IPASE, uma autorização para o financiamento, no valor que o dr. Ernesto quisesse. Fui faceiro levar a autorização, deixei com dona Maria. Dr. Ernesto não me falou nada. Passados alguns dias, perguntei pelo financiamento. Não ia fazer, ele me disse. "A Maria inventou isso. Eu sempre morei em casa alugada. Estou muito velho para estar fazendo empréstimo."

Edgar Kramer Oliveira, químico industrial, genro:

– Conheci o Ernesto no primeiro dia de namoro com a Lia, no portão da casa. Não demora e passou por mim um rapaz, disse "boa tarde". Eu respondi. Ele entrou sem falar comigo. Era moço, parecia ter a minha idade, eu com dezoito ou dezenove anos. E, no entanto, ele tinha uns doze anos mais. Era magro, elegante, ágil. Depois, tivemos sempre um bom relacionamento. No dia em que fui pedir a Lia em casamento, eu lhe disse: "Seu Ernesto, eu vim hoje aqui especialmente para tratar um assunto muito importante em relação a mim e a Lia". Ele cortou: "Meu filho, não te preocupa, não precisa nem falar. Já tem o meu consentimento. Eu acho que a Lia vai fazer um bom casamento".

Elóidy Rodrigues, jornalista:

– Fui testemunha e partícipe de um acontecimento histórico. A ditadura do regime militar estava no auge, naquele dia 17 de maio de 1966. Ernesto Corrêa comandava a redação, Chateaubriand vem a Porto Alegre para o batismo de um terneiro da raça hereford, na fazenda Chambá. Dá ao animal o nome de Kruelino, em homenagem ao comandante do II Exército, general Amaury Kruel. Castelo Branco era o presidente da República, e o comandante do III Exército, Justino Alves Bastos, faz um discurso com críticas ao regime. Ele é exonerado, assim como o general Kruel, por ter apoiado o discurso de Justino. Fui o único repórter a gravar o discurso para os *Diários* e acabei preso por algumas horas, junto com o Floriano Corrêa, no Palácio Piratini.

Elvo Clemente, professor e acadêmico:

Ernesto foi aluno do Curso Superior de Comércio de Nossa Senhora do Rosário e coroou sua formação na Faculdade Católica de Ciências Políticas e Econômicas, antes da formação da Universidade Católica. Ele sempre mencionava com saudade e carinho seus anos de formação com os irmãos maristas. Depois, colaborou em cursos de extensão no final da década de 50. Nas aulas que ele ministrava nesses cursos, sempre tinha idéias novas sobre o bom jornalismo para aqueles tempos.

ERIKA COESTER KRAMER, JORNALISTA:

– Devo aos professores Ernesto Corrêa e Nilo Ruschel a insistência junto ao então diretor, professor Pila, em continuar como assistente da cadeira de rádio. Mas a legalidade e a militância na UNE me jogaram na "cassação branca"... e o professor Ernesto Corrêa não se intimidou com os "fatos" na época considerados "danosos", e foi até aos reitores Eliseu Paglioli e Milano reivindicando a minha permanência como futura docente do curso de jornalismo. Ele me telefonava com freqüência informando sobre as tratativas. O professor Ernesto era um "destemido", um forte, e um profissional preocupado com os aspectos sociais e políticos, não só do estado como do país. Jamais esquecerei o professor Ernesto Corrêa como professor e como referência profissional. Mais tarde vim a conviver com Fernando Ernesto Corrêa, com o qual "revivi" os valores profissionais, a ética, a simplicidade e o empreender jornalístico herdados de seu pai.

ERNESTO CORRÊA NETO, ENGENHEIRO CIVIL, NETO:

– Ser Ernesto Corrêa Neto – um orgulho. Uma responsabilidade. Um privilégio. Envergar o nome de uma genialidade como a de meu avô, obviamente, não é fácil. "A importância de ser Ernesto"... Corrêa Neto – e o esforço contínuo de tentar, pelo menos, ser tão gente quanto ele foi.

ERNESTO CORRÊA OLIVEIRA (ENGENHEIRO, MASTER EM ADMINISTRAÇÃO DE EMPRESAS, NETO):

– Minha convivência com ele foi curta mas prazerosa. Eu era estudante de engenharia e estagiário na Siderúrgica Rio-Grandense. Ele me aconselhou (quase impôs) a aprender inglês e conseguiu-me um estágio numa empresa nos Estados Unidos. Mais tarde, quando iniciei a carreira no jornal *Zero Hora,* ainda que como engenheiro e na parte técnica, começamos a ter mais contato e afinidades. Lembro de comentar com ele minhas viagens ao exterior, e as novas tecnologias de fabricação e produção de jornais e ele ficava encantado. Infelizmente, logo depois ele faleceu.

ERNESTO PEREIRA DA SILVA (PRESIDENTE DO SINDICATO DOS VENDEDORES DE JORNAIS E REVISTAS DO ESTADO DO RIO GRANDE DO SUL):

– Em 1968, tivemos uma pendenga com o prefeito Thompson Flores. Ele queria eliminar todas as bancas de jornais e revistas da via pública,

Numa das tradicionais "peladas" de fins de semana, no ano de 1974, em pé, da esquerda para a direita, Luiz Augusto Bastian de Carvalho, o Dunga, Ernesto Corrêa Neto (filho de Paloca), Fernando Ernesto Corrêa e Paulo Sérgio Corrêa; agachados, Ernesto Corrêa, Sinval Guazelli e Edgar Kramer de Oliveira, filho de Lia, o mais velho dos netos.

queria a calçada limpa. As revistas ficavam de pé, numa espécie de grade, não tinha alvará, não tinha nada... Aí eu procurei o dr. Ernesto Corrêa, que era diretor do *Diário de Notícias* e presidente do Sindicato dos Proprietários de Jornal. Prometeu nos dar força e eu comecei a ir quase que diariamente no seu gabinete. Ele queria sempre saber o que estava acontecendo, o que nós já tínhamos conquistado... Aí os jornais começaram a criticar o Thompson Flores, até ele me chamar lá e fazermos um acordo.

Fernando Albrecht, jornalista:

– Papo informal, sabedoria da experiência. Fugia dos padrões clássicos do professor, preso aos rigores do academicismo, por isso mesmo superior aos demais no quesito "prender a atenção". Hoje nós sabemos que jornalismo é a arte de contar uma história, seja ela um acidente de trânsito, um golpe na internet ou a economia da Tailândia. E acho que perdemos esta característica. Se vivo fosse, certamente Ernesto não estaria concordando com os rumos que tomou a profissão. E suas aulas seriam ainda mais valiosas que ao tempo em que vivo era.

FERNANDO ERNESTO CORRÊA FILHO, ECONOMISTA, NETO:

– As partidas de futebol nos finais de semana eram obrigatórias. O vovô era o primeiro a chegar. Chuva, sol, ressaca, não tinha conversa. O futebol era o nosso ponto de união, o encontro tinha que acontecer. Eram dez ou doze jogando em função dele, todos se preocupavam em dar a bola a ele de bandeja. Em nossa casa em Canela também jogávamos nos fins de semana. Pedro Dias, dono das rádios locais, era quem sempre "marcava" o meu avô, que acabava sendo o goleador nas partidas.

FERNANDO ERNESTO CORRÊA, ADVOGADO, ADMINISTRADOR E JORNALISTA, FILHO:

– Ele sempre foi um homem despojado, nunca se preocupou com dinheiro ou honrarias; só trabalhou, leu, estudou. A única coisa que fazia fora da rotina era caçar com os amigos. Nunca pensou em ter posição de destaque; nunca pensou em poder; nunca pensou em aparecer; nunca teve casa própria; nunca viajou à Europa, nem sequer à Argentina ele foi. Sempre recusou qualquer tipo de vantagem que pudesse representar comprometimento editorial. O pai sempre teve uma independência editorial muito grande. Era um sujeito recatado, avesso a badalações e homenagens. De uma cultura enorme e ecumênica, que não jogava na cara de ninguém. O Paloca é muito parecido com ele, brilhante mas tímido, ao contrário do Faveco e de mim, que somos mais extrovertidos e festeiros.

Enquanto cursava Direito na UFRGS (55 a 59), fui repórter do *Diário* e jamais esqueci a primeira lição profissional que recebi de meu pai. Como uma das primeiras tarefas, tinha de cobrir uma assembléia da Legião Brasileira de Assistência. Voltei para a redação com o que achava que era uma 'bomba': o dr. Adail Moraes, chefe da Casa Civil do Piratini, fora eleito presidente da LBA, com um respeitável salário. O acúmulo pareceu imoral e o *Diário* mancheteou na contracapa. Eu ouvira errado. Dona Lígia Moraes, esposa do dr. Adail, é quem fora eleita presidente da LBA no Estado. O *Diário* teve que se desmentir. O pai chamou-me no seu gabinete e disse: "Seu moço, saiba que a retificação de notícias, ainda que necessária, tira a credibilidade do jornal. O nosso leitor precisa acreditar que não mentimos".

FLÁVIO ANTÔNIO CORRÊA, O FAVECO, PUBLICITÁRIO, FILHO:

– O pai tinha uma virtude espetacular: a liderança. Ele conseguia aglutinar em torno dele os melhores cérebros e estava certo. Se você tiver ao seu lado gente boa, você ganha. Ele armava o time. Trabalhava muito, tinha uma liderança forte sobre todos, porque escrevia muito bem, sabia mais que os outros, aprendia, estudava. Defeitos? Ele era estourado, rígido, personalista e autoritário.

Flávio Carneiro, jornalista:

– O prof. Ernesto foi quem me despertou o gosto pelo jornalismo. Ele tinha um carisma fantástico, uma empatia muito grande, transmitia segurança aos alunos, embora não fosse um professor disciplinado. Suas aulas eram verdadeiras palestras, nas quais narrava as experiências dele e dos seus repórteres do *Diário de Notícias*. Sempre dava a cara da profissão, dizia que era a mais universal de todas as profissões, a mais abrangente.

Francisco Ojeda, jornalista:

– Entre os professores, só eram jornalistas mesmo Ernesto Corrêa e Salvador Bruno (ambos do *Diário de Notícias*), do jornalismo escrito, e Nilo Ruschel, do rádio. Não existiam ainda os homens da televisão. Penso que ele foi o exemplo típico do jornalista de todos os tempos: completamente centrado na notícia. Nada importante (ou interessante) lhe passava despercebido, fosse aqui ou na China. Ele girava ao redor da notícia como uma abelha ao redor de uma flor melífera. Nada mais lhe interessava, enquanto não conseguisse o mel que adoçava o seu instinto jornalístico. Sabia como escrever uma boa notícia, uma boa reportagem, como temperar um texto com o sal do detalhe atraente e valorizador.

Ernesto com o neto Geraldo Corrêa, filho de Fernando Ernesto Corrêa.

Geraldo Corrêa, advogado, neto:

– Eu lembro do meu avô por duas facetas. A primeira, sua paixão pelo futebol dos domingos na casa do meu tio Paloca. Fizesse sol, chuva, vento, frio, ele estava sempre disposto a jogar. Outra coisa era o conhecimento profundo que tinha sobre os mais variados temas: da biologia à história, da química à geografia, transitava em vários campos. Mais de uma vez me disse da importância de ler enciclopédias. Então, o que eu usava no colégio como fonte de pesquisa, para ele era leitura habitual.

Geraldo Stédile, presidente do Conselho de Cidadãos Honorários de Porto Alegre, amigo:

– Jogávamos futebol nos finais de semana, na casa do Paloca. E algumas poucas vezes também caçamos juntos. Eu gostava de conversar com ele, tínhamos algumas idéias em comum. Era um homem culto, evoluído.

Gilberto Leal, jornalista:

– Depois das aulas, eu e outros alunos ficávamos conversando com o professor Ernesto. Às vezes, pegávamos carona para o Centro. Aprendi com ele a importância da ética, do compromisso profissional, da necessidade de atualização, mas principalmente da humildade. Humildade para reconhecer os erros e não repeti-los. De comparar o trabalho realizado com os dos concorrentes e avaliar em que pontos fomos melhores e no que perdemos. A busca permanente da qualidade e da perfeição, da apuração dos dados de um fato até a edição e divulgação. O respeito à ética, tendo a consciência de que só com a informação isenta, correta e imparcial estaríamos cumprindo a função social do jornalismo. A consciência de que uma palavra errada pode comprometer as atividades e a própria vida de uma pessoa, empresa ou entidade.

Gladys Fichbein, jornalista:

– A convivência com ele era muito charmosa. Tinha a capacidade de transformar uma aula em lição de vida. Era muito mais prático do que teórico, no sentido do que é a vida jornalística. Pouquíssimo teórico e maravilhosamente vida. Não usava livros, apostilas, preferia conversar com os alunos. Ele representou na minha carreira o encantamento pela profissão. Não me deu força profissional, mas me mostrou essa coisa encantadora da comunicação.

Homero Maya D'Ávila, jornalista:

– Ernesto Corrêa tinha duas características fundamentais. A primeira: era um homem correto, nunca se deixou levar por nenhuma oferta de vantagens que um cargo como o dele oferece a qualquer pessoa. Era um homem pobre sempre lidando com tudo o que havia de poder. A segunda: era um jornalista por excelência. Ele esperava o jornal rodar todas as noites, e nós ficávamos com ele, conversando, de madrugada, na praça da Alfândega. Ele só ia dormir depois de botar o jornal debaixo do braço.

Ibsen Pinheiro, jornalista, político:

– Eu trabalhava na *Tribuna*, o jornal do Partidão, e às vezes a gente precisava de alguma ilustração sobre um acontecimento qualquer da cidade que fosse importante. Numa dessas, me ocorreu de chegar no *Diário* e pedir ao doutor Ernesto se eles podiam ceder uma foto ou, melhor ainda, ceder um clichê. E isso passou a ocorrer com freqüência. Certa vez ele me deu uma foto e, no verso, dedicou: "'Com os cumprimentos da imprensa burguesa". Ele era muito fraterno com seu jovem colega, eu não tinha nem vinte anos e ele já era um ícone da imprensa gaúcha. Por dever de justiça, quero dizer também que depois que o Ernesto me abriu as portas, muitas vezes foi o secretário de redação, Cláudio Candiota, quem atendeu esses pleitos da imprensa proletária. Tenho uma lembrança muito forte do doutor Ernesto, como eu o chamava, ou do Major, como a maioria das pessoas o tratava na redação. Não sei por que, mas que ele parecia um major, parecia.

Inah Muliterno Corrêa, jornalista, nora:

– Ele era o ídolo de nós todos, jornalistas. E eu entrei na redação do *Diário* à sua revelia, ele achava que uma mulher – fui a primeira a ter carteira assinada em jornal de Porto Alegre – seria uma coisa complicada no meio de tantos homens. Lembro-o perfeccionista, não gostava de mediocridades. Tinha um sorriso de Gioconda e era reservado, creio que no fundo ele tinha vergonha de ser amado. Olhos sempre abertos para a vida, mirando amplitudes que lhe facultavam acertar previsões incalculáveis sobre acontecimentos políticos. Lapidava os iniciantes como quem lapida a pedra bruta, reprovava as "foquices" e elogiava os trabalhos que lhe pareciam valiosos. Depois, veio o privilégio de tê-lo como sogro, ou melhor, como um pai muito amado e amigo, cuja lacuna jamais será preenchida.

Ernesto, com a segunda mulher, Yvonne, e os netos Luciano (à esquerda) e Cristiano, filhos de Faveco.

IONE GARCEZ VIEIRA, JORNALISTA:

– Dr. Ernesto tinha um carisma muito grande. E nosso respeito. Lembro que ele veio nos cumprimentar a todos, quando Synval Guazzelli foi escolhido governador e o *Diário* foi o único jornal a publicar um suplemento especial, no dia seguinte ao anúncio. Estávamos na Sala de Imprensa da Assembléia e comentávamos a decisão da escolha quando surgiu a idéia de se fazer algo especial, quem sabe um suplemento. Então o Paloca me entusiasmou e sugeriu que entrevistasse o Bisol, na época um sisudo desembargador, amigo de infância de Guazzelli. Fui ao Tribunal, esperei o final da sessão, pedi que escrevesse algo sobre Guazzelli, que tinha sido escolhido etc. etc. Ele pensou e, de próprio punho, escreveu um texto muito bonito sobre a personalidade de Guazzelli, seu namoro com a Ecléa, a juventude deles.

IVETTE BRANDALISE, JORNALISTA:

– Ernesto foi meu professor na UFRGS. O curso estava nos seus primeiros anos, e tanto professores como alunos não sabiam muito bem o que faziam lá. Mas os encontros eram agradáveis. Ernesto aparecia às oito da manhã, sempre de fatiota (geralmente bege, fazendo uma composição ton-sur-ton com a gravata), barbeadíssimo, cheirando a colônia. De teoria nos deu pouca coisa, em compensação, sempre tinha histórias interessantíssimas para contar. E ia relatando suas experiências no jornalismo e, às vezes, histórias pessoais.

João Paulo Trindade, jornalista:

– Desde o início, o *Diário de Notícias* desfrutou de prestígio e respeito na sociedade gaúcha, notadamente pela qualidade gráfica, por suas posições corajosas e democráticas, respaldado pelo esforço e talento dos jornalistas, mesmo com a concorrência diária do *Correio do Povo*. Tempos de jornalismo romântico e corajoso. Seu perfil jamais será substituído por outro jornal na história gaúcha. Ernesto Corrêa, quando ocupava sua mesa de trabalho na redação, transmitia vibração, por sua inteligência pessoal, perspicácia, além de trabalhador incansável, enfim, um talento nato no jornalismo brasileiro.

José Bacchieri Duarte, jornalista e político:

– O *Diário* era fantástico. Vibrante. Dinâmico. Criativo. Moderno, com uma diagramação de causar inveja. Nós, do *Correio*, quase não aparecíamos. Raramente nossos trabalhos eram assinados. No *Diário*, o profissional era prestigiado, e seu nome aparecia praticamente em todas as reportagens que produzia.

Juarez Fonseca, jornalista:

– Foram marcantes o bom humor, a simplicidade no trato com estudantes (pois ele era um jornalista importante), a generosidade ao compartilhar suas experiências, a liberdade e incentivo que dava para nos dirigirmos às áreas de que mais gostávamos (aprendi muito com ele sobre diagramação, por exemplo), a disposição para ouvir os problemas de cada um. Gostava de contar histórias, era um grande *causer*. Mas alguns diriam que era pouco rigoroso, "amigão" demais. Como um homem com profunda vivência de jornal, foi um dos primeiros a me fazer amar a profissão pelo que ela tinha de fascinante e não por ser apenas uma profissão. Ernesto me propiciou começar a entender as entranhas de uma redação.

Na comemoração dos 25 anos de Fernando Ernesto Corrêa na RBS, em 1988, a última foto dos cinco irmãos: Lia, Paloca, Helena, Fernando Ernesto e Faveco, filhos de Ernesto Corrêa. Helena faleceu em 1989.

JULIO CÉSAR MAGALHÃES, JORNALISTA:

– Na minha trajetória profissional, cruzei com várias pessoas que acabaram entrelaçando suas vidas, suas personalidades e suas competências à história fascinante do *Diário de Notícias*. Lá pelo final da década de 60, tive o privilégio de ser repórter policial e depois assumi na área de economia. A ligação com o *Diário*, entretanto, começou mais cedo. Na UFRGS, Ernesto Corrêa era professor, e numa de suas aulas – tendo redigido um texto sobre a mais nova edição da Feira do Livro –, ele perguntou se eu já tinha feito estágio. Respondi que não. "Então vai lá na *Zero Hora* e fala com o meu filho. Diz a ele que fui eu que mandei." Na tarde do dia seguinte, estava entrando na sala de Fernando Ernesto Corrêa. Expliquei o interesse pelo estágio e a recomendação. A resposta foi imediata: "Se o meu pai te mandou aqui, é porque serás um bom jornalista. Procura o Carlos Bastos, na redação".

JÚLIO SORTICA, JORNALISTA:

– Ele tinha o que falta hoje à maioria dos professores de jornalismo: vivência, experiência. Duvido que ele tivesse algum curso de pós-graduação ou mestrado. Talvez porque soubesse que nenhum curso substitui ou se compara à experiência de ter vivido o jornalismo na pele. Era isso. Ele tinha o jornalismo na pele. Aprendi com ele a encarar a profissão com bom humor. Não sei se ele era rico, se ganhava bem, mas aparentava estar feliz com o que fazia.

Kenny Braga, jornalista:

– De repente, bate uma saudade do velho *Diário de Notícias*, onde fui parar um dia. Já não era o *Diário* tão prestigioso e influente do professor Ernesto Corrêa e dos suplementos culturais que deliciavam os intelectuais da província. Já não era o *Diário* que concorria em pé de igualdade com o centenário *Correio do Povo*. Era o *Diário* possível para as circunstâncias da época. Fui admitido já com a sua redação na São Pedro, e lá fiquei aproximadamente um ano. Apesar de notórias dificuldades de caixa, o jornal jamais atrasou meu salário nem criou qualquer obstáculo para publicar minhas crônicas que às mais das vezes divergiam da orientação ideológica da empresa. Mas aquele ano ficou gravado na minha memória. Lá eu fiz vários amigos e croniquei algumas páginas de razoável qualidade... lá aprendi muito da nossa condição de jornalistas obrigados tantas vezes a trabalhar no limite suportável de nossas forças para que uma publicação histórica, de valor indiscutível para a sociedade, não morra, não desapareça.

Laerte Martins, jornalista:

– Ter sido aluno do Ernestão foi um privilégio. Ele era um professor nato. Com seus mocassins, camisa larga para fora das calças, caminhava de um lado para outro da sala de aula, como se fosse um animal enjaulado. Quando começava a falar, contava histórias do ofício de fazer jornal com um entusiasmo juvenil e nos deixava com uma vontade louca de nos formarmos logo e irmos para uma redação vivenciar tudo aquilo. Arrisco em dizer que já não se fazem professores e jornalistas como ele.

Laura Corrêa, produtora de eventos, neta:

– Sempre combinava a calça com a camisa. Podia estar 40 graus, ele não perdia a elegância. Era tão rígido que eu não sei se fazia concessões para si mesmo. A vida dele era o jornalismo. Não interessava o que acontecesse em volta, ele estava fazendo a matéria e não podia parar. Creio que ele só era feliz dentro do jornal, foi jornalista até a morte. Era regrado, disciplinado. E não gostava de ser contrariado. A palavra final sempre foi a dele.

Lauro Guimarães, advogado, vizinho e amigo da família Corrêa:

– Ele vivia o jornal. A vida do doutor Ernesto Corrêa era o seu jornal e a sua família, nessa ordem. Sem desmerecimento, mas ele era um jornalista que vivia profundamente o jornal. A gente via que esse homem, sábado e domingo, noite após noite, era jornalista, não era dono de empresa. Mudou muito isso, hoje o dono da empresa é empresário, não é jornalista. Nós comprávamos o DN por causa do doutor Ernesto, e com o tempo fomos conhecendo ele melhor. Aprendemos a admirar o jornalista que não tinha deixado de ser jornalista por ser diretor do jornal. Ele foi sempre colega dos seus funcionários e colega de trabalho, consolidou um jornal extremamente interessante, vivo, vibrante. Manteve durante anos uma luta terrível porque o *Correio do Povo* era uma potência econômica, e os Diários Associados, uma empresa extremamente irregular em termos de patrimônio. Andava no arame de salto alto sem sobrinha. Esse equilíbrio o doutor Ernesto foi capaz de manter.

Lauro Hagemman, radialista e político:

– Quando fui aluno do Ernesto, ele dava prioridade à imprensa escrita, meu ramo era a falada, aí havia uma distância natural. Na faculdade, eu aprendi menos o jornalismo, mais a função do jornalista na sociedade. Na década de 50, quando fui redator do Jornal Falado, da Rádio Farroupilha, eu ia à noite para a redação do *Diário* apanhar os restos de notícias. Eles não acreditavam no rádio, e penso que o Ernesto era partidário dessa idéia. Ele achava que o jornal era a coluna vertebral do processo de informação. Eu tinha então muita dificuldade de chegar às matérias principais, eles não me davam, eu tinha que surrupiar. Com o tempo, ele se convenceu que o jornal era vendido pelo rádio, que trazia as manchetes depois aprofundadas pelo jornal.

Leila Weber, jornalista:

– Determinado dia, não tive tempo de fazer o trabalho que ele pedira. Aí, apanhei um poema que havia escrito (todo mundo comete seus versos, não é?), dei-lhe o título do trabalho encomendado ("Antiverdade") e esqueci da história. Uns dez dias depois, o professor Ernesto devolveu os trabalhos e me surpreendeu com um belo 10 (nota máxima!). A mim, ele ensinou principalmente o que poderia chamar de *savoir faire*. Devo a ele também o meu primeiro prêmio nas letras: pelo incen-

No verso desta foto, Ernesto Corrêa escreveu, em junho de 1956, para a filha primogênita: "Lia, minha querida: Quando 'tirei' esta foto, cinqüenta anos pesavam sobre a minha autoconfiança. A verdade, porém, é esta: sou um 'velho' que não tem saudades dos seus tempos de 'moço'. O segredo? Creio na vida e deixo que ela aconteça: a vida tem sempre razão!".

tivo com aquele 10, animei-me a inscrever o poema num concurso da revista Cruz de Malta (SP) e acabei tirando o primeiro lugar.

Lia Kramer Oliveira, filha:

– Papai tinha um gênio difícil. Era preciso ter cautela para tratar com ele. Quando ficava brabo com alguma coisa, sai da frente, não respeitava ninguém. Contrariado, virava fera. Em compensação, logo que se acalmava, pedia desculpas. Qualquer grosseria que fizesse para mim, por exemplo, a primeira coisa, logo depois, era me enviar um buquê de flores.

Liberato Vieira da Cunha, escritor e jornalista:

– O *Diário de Notícias* foi o mais surpreendente dos cursos que tirei: não cobrava mensalidade e ainda fazia questão de me pagar. Comecei nesse ofício em que navego aos quatorze anos, perpetrando reportagens no bravo *Jornal do Povo,* de Cachoeira. Aos vinte, depois de uma passagem pela Assessoria de Imprensa da falecida Secretaria de Educação e Cultura, já me imaginava diplomado na arte de juntar letrinhas. Ledo engano. Ao transpor o limiar da redação do DN, na avenida São Pedro, compreendi que não passava de um foca. Por sorte, ali me esperavam excelentes adestradores, como Ernesto Corrêa, o diretor. Antecedido por sua legenda, ele se tornara, naqueles idos de 1966, quase uma visita no cotidiano de todos nós. Honrou-me pedindo que escrevesse um editorial por ele, certa vez, assim como quando o substituí numa de suas aulas. Nem sempre nossa aproximação se dava em torno de temas tão sérios. Volta e meia me chamava à sua sala e me ministrava, com aquele seu humor de *gentleman*, conferências sobre um tema sedutor: as mulheres e a arte de conquistá-las. Nunca tive mestre tão maroto e tão completo.

LUCIANO CORRÊA, ECONOMISTA, MESTRE EM RELAÇÕES INTERNACIONAIS, NETO:

– Pouco convivi com o vô Ernesto, embora participasse, guri mais moço do que os demais, das peladas de fim de semana na casa do Paloca. A imagem que me ficou foi do avô no seu escritório, no apartamento da rua Riachuelo, abarrotado de livros e com um imenso quadro-negro para anotações.

LUIZ CARLOS PINHEIRO MACHADO, PROFESSOR E AGRÔNOMO:

– Tanto Ernesto Corrêa quanto Breno Caldas tiveram participação importante no cenário político do Rio Grande do Sul. De certo modo, eram concorrentes, mas concorrentes que conduziam as coisas para o mesmo objetivo. A imprensa escrita tinha uma força muito grande. Determinava de certo modo as coisas no Estado. Depois, a tevê assumiu o papel do jornal como formador de opinião. É lastimável que o *Diário de Notícias* tenha desaparecido.

LUIZ CARLOS VAZ, JORNALISTA:

– Minha convivência com Ernesto Corrêa foi marcante. Mesmo com pouco contato no jornal, conversávamos muito na faculdade. À época eu já exercia a secretaria do *Diário de Notícias,* e ele me estimulava, aconselhando e transmitindo experiências. Quando gostava da primeira página, ligava para me cumprimentar. E seus textos eram insuperáveis.

LUIZ OSÓRIO, DIRETOR DO JORNAL *KRONIKA*:

– Do meu tempo no *Diário*, lembro da qualidade de seus escribas. Lembro de Ernesto Corrêa e da bela Lara de Lemos, debruçada na mesa do chefe maior, certamente mostrando-lhe a última e poética crônica. Observo a eletricidade do Cláudio Candiota, às vezes quase épico, ao

Caçada em campos do Uruguai. Ernesto Corrêa com Eugenio Fumagalli (à esquerda) e Daniel Anzanello (ao centro).

solicitar empenho aos repórteres e redatores subordinados, "que a oficina já estava atrasada". Recordo o J. Tadeu Onar, todo de branco, inclusive no chapelão, sapatos e meias. Vejo o Say Marques, gravata-borboleta, terno quase de plástico, última novidade de sua recente viagem aos "States", e o inefável charutinho. Ou seria cigarrilha? E o Paulo Corrêa, o Paloca, óculos fundo-de-garrafa, diagramando a avançada página esportiva do jornal. E o Geraldo Moreira, o maior de todos os cronistas sociais, confabulando com uma diva ao telefone. Tantos nomes e figuras que mostravam o melhor do jornalismo gaúcho, uma imprensa aberta, arejada, alegre e descontraída para contar e escrever aquilo que o leitor pedia e não encontrava nos outros jornais.

Marco Aurélio Campos de Carvalho, chargista:

– Ernesto foi um homem corajoso, inteligente, precursor do jornalismo. De um lado, tinha o Breno Caldas, da Caldas Júnior. Do outro,

Ernesto. Eram as duas pessoas do Estado. A opinião do jornal era muito importante naquela época. Hoje, ninguém sabe quem é o diretor de um jornal. Aparece o nome dele no editorial, mas ninguém sabe quem é. Ele era a pessoa de frente dos Associados aqui no Rio Grande do Sul.

Maria Luiza Antunes Moreira, jornalista:

– Década de 70, Olinto de Oliveira era o chefe de redação, e o dr. Ernesto Corrêa, o diretor, embora afastado. Comum faltar luz em alguns bairros de Porto Alegre, principalmente na Zona Norte, onde estava o prédio do *Diário de Notícias*. Isso ocorria geralmente nos fins de tarde, hora em que chegávamos para enfrentar as velhas máquinas de escrever... Os primeiros a chegar pegavam as melhores. E quem tinha carro próprio tratava de abastecer na bomba de gasolina existente no pátio do jornal, com vales descontados nos contracheques do final do mês. As pautas determinadas pelo então chefe de reportagem, Eloydi Rodrigues, eram simples, não havia nada escrito, cada repórter colhia a matéria da melhor maneira, usando sua criatividade e suas fontes. Que aprendizado!

Mário Emílio de Menezes, jornalista:

– O prestígio do *Diário de Notícias*, na década de 50, pode ser medido por um episódio ocorrido quando eu era correspondente do jornal em Santa Rosa e enviava notícias sobre repetidas invasões do território brasileiro pela Gendarmeria Argentina. O fotógrafo Lauro Porto foi enviado pela direção – leia-se Ernesto Corrêa – para, comigo, produzir uma reportagem especial, com chamada na capa, relevando os abusos castelhanos. Em lanchas velozes e modernas da Província de Misiones, os policiais patrulhavam o rio Uruguai e, com freqüência, desembarcavam em Porto Lucena à procura de contrabandistas e fugitivos. Localizados, eles eram presos – não importa a nacionalidade, se brasileiros ou argentinos – e eram conduzidos às prisões de Alba Posse ou Oberá, sem qualquer satisfação às autoridades do Brasil.

A denúncia repercutiu imediatamente na Presidência da República, e um efetivo do Corpo de Fuzileiros Navais foi deslocado do Rio de Janeiro para a cidade de Uruguaiana. Foi instalado um quartel moderno, com todos os equipamentos necessários. Nossos fuzileiros – fortemente armados – passaram a patrulhar dia e noite o rio Uruguai, e a tranqüilidade voltou à fronteira.

Mário Santarosa, jornalista:

– Entrei em 1964 na faculdade, época em que o professor Ernesto era questionado duramente por suas posições contrárias a um governo socialista, apesar de se saber desta posição muito mais pelo jornal que dirigia do que em declarações públicas. Parecia, sempre, que encarava o entusiasmo esquerdista da juventude com uma certa compreensão e colocava questões que não eram de enfrentamento direto. Tentava fazer com que se pensasse de outra forma, mesmo sendo contra inicialmente. Ele foi o meu grande impulsionador e motivador para a profissão de jornalista.

Martha Azevedo, ex-vice-diretora da Fabico:

– ...Sem muita didática, pois ainda não se pensava nela, Ernesto Corrêa se dispunha, grande jornalista que era, a submeter-se diariamente ao julgamento de um grupo de jovens cheios de idéias e grandes ambições, mas sem a experiência prática do dia-a-dia, que faz com que tenhamos que adaptar nossos objetivos à realidade existente. Ernesto Corrêa não se constrangia, não criticava, nem tentava opor nenhuma barreira ao entusiasmo dos jovens: pelo contrário, os estimulava a prosseguir, elogiando-os e incentivando-os a crescer cada vez mais...

Mauro Pacheco Toralles, jornalista:

– Ele usava umas roupas engraçadas, um terno safári, mangas curtas. Era um fardamento, aquela roupa. O que mais me marcou foi a maneira de ser. Dócil, bem-humorado, extremamente civilizado. Simples, transmitia segurança, diferente dos outros professores, que às vezes eram duros, agressivos. Estava sempre calmo e parecia que tinha acabado de tomar um banho.

Nilson Souza, jornalista:

– Elogiava meus textos e acabou me convencendo que um dia eu poderia aprender a escrever. Lembro até hoje que, numa das aulas, ele citou um cartaz na parede do jornal *The New York Times*: "Remember you are writing for him" (Lembre-se que você está escrevendo para ele), o leitor. Foi uma lição inesquecível.

Nubia Silveira, jornalista:

– Não era um professor no sentido formal da palavra. Não era um homem com didática, mas um contador de histórias. Era uma referência, alguém que tinha feito jornalismo numa época mais romântica e obtido sucesso. Gosto das histórias do jornalismo dos tempos passados e acho que, em parte, devo isso às aulas dele.

Olyr Zavaschi, jornalista:

– Nos últimos meses em que permaneci no *Diário*, fui secretário de redação. O jornal era muito presente na vida da cidade e do estado. E a redação, vibrante, apesar de o jornal não ter mais a mesma força, o dr. Ernesto estava afastado. Chateaubriand já tinha morrido, os Diários Associados estavam num processo final. Foi muito interessante ter trabalhado lá. Existia o romantismo da profissão. As pessoas trabalhavam mais por entusiasmo pelo que faziam do que pelo salário.

Paulo Brossard de Souza Pinto, jurista, ex-presidente do STF:

– Ainda estudante, foi no *Diário* que publiquei meu primeiro artigo em jornal. Fui lá, entreguei ao Ernesto, ele disse que ia publicar, eu lembro bem das circunstâncias. Discutia-se naquele momento o problema do parlamentarismo nos estados, a compatibilidade do regime no Estado com a Federação. Se mostrava que era incompatível, mas não se dizia o porquê. Mas e no Canadá, na Alemanha, na Áustria, na Austrália e na África do Sul? Não são federações? Então? Quando fui eleito presidente do Grêmio Universitário Tobias Barreto, o órgão cultural dos acadêmicos, levava-lhe pequenas notas, para publicação.

Paulo Corrêa, Paloca, advogado e jornalista, filho:

– Meu pai não tinha partido político. Eu era da UDN, motivado pela campanha que o *Diário* fazia. Certa vez, numa de nossas conversas de madrugada, ele, tomando cerveja e comendo sardinha, arriscou, timidamente: "O Tarso Dutra (PSD) tem insistido para que eu seja candidato a deputado estadual...". Atalhei logo: "Que bacana ser filho de deputado, mas tem uma coisa: eu não poderia votar em ti" (claro que votaria). Felizmente, nunca mais se tocou no assunto...

Pedro Chaves, jornalista:

– Ele ensinava como elaborar um texto, insistia em dizer que era preciso ouvir os dois lados. Vibrava com o que fazia. Aprendi com ele: é preciso perseguir a verdade, ter muito cuidado para não conduzir o leitor a uma opinião que é nossa. Temos que subsidiar o leitor com todas as informações para que ele conclua. Se eu tinha alguma dúvida da carreira a seguir, perdi depois de conhecer o Ernesto. Ele transmitia aquela explosão fantástica de ser jornalista 24 horas por dia.

Plínio Dotto, jornalista:

– Teorias quase não existiam. Todo nosso aprendizado era advindo da prática e da experiência dos "mestres". Tínhamos algumas restrições quanto a posições políticas, mas na época de estudante isso é comum. Na essência temos que dar valor a esses desbravadores. Eles tiveram a coragem de dar os primeiros passos no estudo do jornalismo. Mais de quatro décadas depois, ainda lembro muito bem do professor Ernesto Corrêa, da sua capacidade de prender a atenção, discorrendo sobre a sua experiência profissional, muito rica, que nos encantava e nos fazia entender como funcionava a imprensa. Depois da minha formatura, encontrei-o inúmeras vezes no parque Farroupilha, já que ele era quase obrigado a fazer caminhadas para evitar novos problemas cardíacos, o que cumpria fielmente na companhia de um pequeno cão amigo. Ficou na minha memória a imagem de um ser humano generoso que, parece-me, soube viver o seu tempo e partilhar com seus alunos a herança do conhecimento e da experiência que acumulou.

Raul Rubenich, jornalista:

– Há duas figuras com muita influência na minha opção pelo jornalismo: meu pai, o seu *Ribenich*, músico por vocação, dono de armazém de secos e molhados por obrigação, logo ali, em Montenegro, e o professor Ernesto Corrêa, diretor de jornal e grande professor de Técnica de Jornal. O seu *Ribenich* tinha paixão pela leitura em geral e, em matéria de jornal, preferia o *Diário*. Ele não chegou a cruzar pessoalmente com o professor Ernesto. Mas sempre manifestou grande admiração por ele e, tenho certeza, gratidão: afinal de contas, foi pelo professor Ernesto que um dos seis filhos dele se tornou um profissional do jornalismo, uma das artes que mais admirava. E logo no *Diário de Notícias*, um jornal – como tive a oportunidade de comprovar, de 1965 a 1968 – com alma.

Remy Gorga, filho, jornalista:

– A verdade, para mim, é que o *Diário* daqueles anos (50-60) foi a confirmação de um jornalismo sonhado pelo menino que, como tantos outros, começou a alfabetizar-se com as letras grandes dos títulos dos jornais. Foi a confirmação das aulas do professor Ernesto Corrêa, sua visão de mundo, sua compreensão e sua valorização dos fatos. Foi o

Major que me "tirou" do curso de jornalismo e me levou a uma redação, afirmando que – podes imaginar? – eu já sabia o que devia saber e que acabaria fazendo-me jornalista no batente. Não, não estou ferindo a modéstia. Nem é que o *Diário* se ressentisse de gente da melhor capacidade. Sempre – antes e depois – ouvi dizer que o *Diário* era o verdadeiro "forno" dos talentos que outros jornais lá iam buscar.

ROBERTO BRENOL ANDRADE, JORNALISTA:

– Ele era extremamente paciencioso. Os jovens sempre foram irreverentes, estávamos em plena época da ditadura, nem mesmo as formaturas eram realizadas, em sinal de protesto. A maioria da nossa turma, no entanto, queria era aprender e receber o "canudo". Não esqueço: ele nos levou, como alunos, certa vez, para visitar o *Correio do Povo* e fazer uma espécie de entrevista com o dr. Breno Caldas. Nós pudemos observar o respeito mútuo entre ambos. Era um cavalheiro, elegante, bem arrumado, um homem fino. Gostava do jornalismo e sabia transmitir seu amor pela profissão, embora, às vezes, fosse prolixo demais.

ROSA MARIA BARBOSA CORRÊA, EX-NORA:

– Ele tinha manias, a cerveja precisava estar sempre numa mesma temperatura, quase congelada. O Chico, o cachorro por quem ele tinha tanta afeição, foi um presente meu. Ele achava que o latido do cachorro era igual à música de Beethoven. A minha casa era aberta, eu vivia recolhendo cachorros. Certo dia, ele e Yvonne nos visitaram e, quando estavam de partida, o cachorro saltou para dentro do carro. Eu disse: leva junto. Ela disse que não ia levar, Deus me livre. Eu insisti, ele disse que traria de volta no dia seguinte, nunca mais devolveu.

SÉRGIO ROBERTO DILLENBURG, JORNALISTA:

– No primeiro dia de aula, Ernesto nos disse: "Se vocês querem enriquecer, esqueçam o jornalismo, escolham outra profissão. Mas, se quiserem mesmo ser jornalistas, comecem a se aproximar das pessoas que trabalham nas redações de jornais". Mais tarde, ainda na faculdade, fiz uma matéria e entreguei a ele: "Olha, professor, estou cobrando aquele seu ensinamento". Três dias depois, ele publicou a matéria assinada no *Diário de Notícias*. Tinha espírito bonachão. Deixava-se levar pelos alunos. A maioria não participava das aulas, falava alto. Às vezes, ele parava de lecionar, mas não reclamava da bagunça. Nunca chamou a atenção de ninguém.

A teoria dele era a seguinte: "Estou aqui para ensinar, eu não posso puxar a orelha de vocês, que são adultos". Na volta das caçadas, ele convidava toda a turma para comer perdizes na casa dele, depois da aula.

SRULI M. ZILBERMAN, JORNALISTA:

– Quando os fatos eram relevantes, Ernesto assumia pessoalmente o comando. Não raras vezes, cabeça apoiada em uma das mãos, como era do seu hábito, manuscrevia as matérias, titulava as manchetes, com incrível rapidez e proficiência. As suas diretrizes eram traçadas de forma subliminar. Nos seus rápidos e esporádicos momentos de distensão, no Largo dos Medeiros, estava rodeado quase sempre por colegas de profissão. Comunicativo, Ernesto conquistava a amizade de todos. Amante do futebol, que praticava e conhecia, ele inventava torneios, a propósito de motivar a todos os funcionários da redação para participar de um confronto de solteiros contra casados, em partida de futebol no campo do Força e Luz.

TERESINHA DIECKMANN TURCATO, JORNALISTA:

– Na crise estudantil de 68, o vi, pela primeira vez, triste diante do prédio da faculdade, carregando a sua pasta de mágico do jornalismo. Achei que ele não era um indiferente. Que ele sentia. E que sofria. Sofria pela instituição. Sofria pelos jovens estudantes. Sofria pelos professores, a quem chamei, em crônica (inédita) de "esses pobres tristes homens sem braços". Mas nesse grupo eu nunca incluí Ernesto Corrêa.

VANESSA MULITERNO CORRÊA, ADVOGADA, NETA:

– Sem querer fingir de erudita, lembro um pensamento de Pontes de Miranda: "Nas grandes almas a dignidade intelectual guarda a esses indivíduos como um dragão de lenda. Somente deles conseguem se aproximar os que o amam e compreendem realmente". Parece que esta citação explica certas facetas de meu saudoso e amado avô.

VERA SPOLIDORO, JORNALISTA:

– Ele costumava levar seus alunos para visitar o *Diário de Notícias*. Quando chegou a vez da nossa turma, estávamos excitados e queríamos saber tudo. À saída, levou-nos a um boteco em frente à sede do jornal, para um cafezinho. Ele pediu uma bebida pouco conhecida, de leite com chocolate. Uma pequena garrafa, creio que se chamava Chocolat. Curiosa, pedi a mesma bebida e tratei de olhar o rótulo para ver onde o produto era fabricado. O professor observou meu gesto e elogiou a curiosidade, disse que era a atitude de um bom jornalista. Foi uma lição para mim e para meus colegas.

VIRSON HOLDERBAUM, JORNALISTA:

– Como editorialista, ele tinha, na época, posições que nós, estudantes de esquerda, considerávamos conservadoras demais, embora ele pessoalmente sempre se posicionasse contra regimes de exceção e absolutamente indignado com a tortura a presos políticos na época.

YVONNE DA SILVA CORRÊA, FUNCIONÁRIA PÚBLICA APOSENTADA, VIÚVA DE ERNESTO CORRÊA:

– Pra mim, ele foi tudo. Além de carinho e amor, meu deu um nome. Eu tenho orgulho de ter sido mulher dele. E acredito que ele também gostou muito de mim, sim. Era um homem que amava a vida, os amigos, gostava de dançar. Sem falar nos filhos, por quem ele tinha paixão. Se algum deles tivesse se oposto – embora eu sempre os tenha respeitado –, não sei se ele teria se casado comigo.

ZULEICA LIMEIRA VIEIRA, EX-NORA:

– O dr. Ernesto foi uma pessoa carismática, controversa, pela qual sempre tive imenso carinho... (no fundo, uma bela criança..!). Quando eu, séria, não concordava com alguns exageros com o Cris, ele retrucava: "Dona Zuleica, saiba que só tenho um neto, os outros são filhos dos meus filhos". Eu tentava fazê-lo entender que não deveria ser desta forma... havia mais quinze netos. Ele dizia: "No amor, minha senhora, a entrega é total!". Enfim... isto foi quando ele teve tempo de se dedicar aos netos e encontrou o Cris... que deu os primeiros passos com ele... que passeava com ele no Parque da Redenção... e com quem ele pôde reviver ou até viver, o que talvez não tenha tido tempo de fazer com os filhos... tampouco com os outros netos... por estar até então envolvido com suas atribulações diárias.

Placa, praça, retrato

Em setembro de 1978, nas comemorações da Semana da Imprensa, a ARI e a Faculdade de Comunicação da UFRGS promoveram homenagem a Ernesto Corrêa. Foram descerradas foto e placa de bronze, com os seguintes dizeres: "A Ernesto Corrêa, grande jornalista, destacado professor, fundador do Curso de Comunicação e marcante figura humana, a lembrança e a saudade dos alunos, professores e funcionários da Faculdade de Biblioteconomia e Comunicação – UFRGS. 1978".

Faveco, agradeceu, em nome da família:

"Fui seu aluno, seu repórter, seu amigo e companheiro de caçadas. Meu pai tinha um estandarte, um lema: liberdade e democracia. A liberdade, como a maior conquista do espírito humano, e a democracia, como o regime pelo qual podemos levar nosso país às condições que desejamos. Lamento que meu pai tenha morrido no momento em que estamos perto de alcançar a mais legítima das liberdades, a liberdade de imprensa".

Num mesmo dia de maio de 1992, foram inauguradas a praça Ernesto Corrêa e a sua foto na galeria dos nomes ilustres da imprensa gaúcha, no salão nobre da Associação Rio-Grandense de Imprensa.

Agradecimentos

Os pesquisadores Daniele de Oliveira Santos, Filipe Maia, Patrícia Oliveira e Rosângela Monteiro foram parceiros essenciais nas várias etapas do trabalho. Oscar Dutra, médico e amigo, esclareceu os males dos personagens. De Lisboa, Itamar João De Grandi acompanhou o projeto, com opiniões sempre adequadas. Alexandre Cordeiro Silveira, Antônio Carlos da Silveira, Clô Barcellos, Clony Tartarotti, João Borges de Souza, Ketty Nahoum, Léo Guerreiro, Marco Peres, Nubia Silveira, Otálio Bordini Camargo, Patrícia Alves, Patrícia Truda, Paulo Dias e Percival Puggina, cada um a seu modo, também contribuíram.

Tânia Terezinha Strada Machado e Waldemar Pereira Caçapietra, do escritório dos Diários Associados em Porto Alegre, não mediram esforços para esclarecer dúvidas e buscar documentos. Vale o mesmo para os funcionários da Associação Rio-Grandense de Imprensa, do Instituto Histórico e Geográfico do Rio Grande do Sul e do Museu Hipólito José da Costa.

A todos, muito obrigado.

E também aos personagens e personalidades entrevistados:

Adalberto Burlamaqui Lopes
Ademar Vargas de Freitas
Agenor da Silva Guimarães Filho
Aline Corrêa Oliveira
Ana Luiza Corrêa
Ângela Corrêa Oliveira
Aníbal Carlos Bendati
Antônio Augusto Fagundes
Antônio Carlos Ribeiro
Ari Cunha
Arlete Andreazza
Armando Garcia de Garcia
Baru Derquim
Bernadete Duarte
Bernardo Dorfman
Bolívar Madruga Duarte
Cândido Norberto
Carlos Danilo Quadros

Carlos Fernando Karnas
Carlos Frederico Menz
Carlos Urbim
Cláudio Candiota
Cláudio Kuck
Cláudio Medina
Clementino Pinheiro
Clóvis Camargo Ott
Clóvis Malta
Cristiano Corrêa
Christa Berger
Daniel Anzanello
Danilo Ucha
Dante D'Angelo
Décio Freitas
Dublin Prates
Edgar Kramer Oliveira
Édison Nequete
Elóidy Garcia Rodrigues
Elvo Clemente
Enir Borges
Ercy Pereira Torma
Érika Coester Kramer
Ernesto Corrêa Neto
Ernesto Corrêa Oliveira
Ernesto Pereira da Silva
Ernesto Pritsch
Estácio Ramos
Fernando Albrecht
Fernando Ernesto Corrêa
Fernando Ernesto Corrêa Filho
Fernando Guerreiro
Flávio Alcaraz Gomes
Flávio Antônio Corrêa
Flávio Tavares
Floriano Corrêa
Francisco Ojeda
Geraldo Corrêa
Gicela Ferrari Beylouni
Gilberto Leal
Gilberto Lessa
Gladys Fichbein
Heron De Lorenzi
Homero Maya D'Ávila
Ibsen Pinheiro
Índio Brum Vargas
Ione Garcez Vieira
Ítalo Pires Drago
Ivette Brandalise
Janer Cristaldo
Jayme Keunecke
João Batista Marçal
Jorge Mendes
Jorge Prado Magalhães
José Bacchieri Duarte
José Joaquim Monteiro
José Luiz Prévidi
Juarez Fonseca
Júlio César Magalhães
Júlio Sortica
Kenny Braga
Laura Corrêa
Lauro Guimarães
Lauro Hagemman
Lauro Schirmer
Leila Paixão Weber
Lia Corrêa Kramer Oliveira
Liana Corrêa Maltez Sieler
Liana Sabo
Liberato Vieira da Cunha
Luciano Corrêa
Luci Truda Palazzo
Luiz Alberto Ibarra
Luiz Carlos Pinheiro Machado
Luiz Carlos Vaz
Luiz Osório
Luiz Pilla Vares
Marco Aurélio C. de Carvalho
Marco Schuster
Maria da Graça Dantas Guindani
Maria Luiza Antunes Moreira
Maria Luiza Truda Boaz
Maria Moreira
Mário Santarosa
Mauro Pacheco Toralles
Nélson Monaiar
Ney Kramer Amaral
Nilson Souza

Niro Xavier Gaspary
Noeli Rocha Peressuti
Nubia Silveira
Olyr Zavaschi
Orcy Brasil
Paulo Acosta
Paulo Antônio da Silveira
Paulo Araújo
Paulo Brossard de Souza Pinto
Paulo Cabral
Paulo Corrêa
Paulo Gasparotto
Pedro da Silva Chaves
Plínio Dotto
Raul Rubenich
Remy Gorga, filho
Renato Moura dos Santos
Roberto Brenol de Andrade
Roberto Gigante
Rosa Maria Barbosa Corrêa
Ruy Collares Machado
Santa Irene Lopes de Araújo
Segundo Brasileiro Reis
Sérgio da Costa Franco
Sérgio Jockymann
Sérgio Roberto Dillemburg
Sílvio Lopes
Sílvio Zanini
Sruli Mordco Zilberman
Symphrônio Veiga
Tatata Pimentel
Úrsula Rosa da Silva
Vacilia Derenji
Valdir Friolin
Vanessa Corrêa
Vera Spolidoro
Vera Zílio
Virson Holderbaum
Wilson da Rocha Müller
Yvonne Corrêa
Zuleica Limeira Vieira

Notas

1. *Correio do Povo*, edição de 14 de janeiro de 1913.
2. *Correio do Povo*, edição de 10 de abril de 1913.
3. À época, *Diário* e *Correio* não circulavam às segundas-feiras. A nota foi publicada na edição de terça-feira, 3/3/1925.
4. Edição de 23 de maio de 1925.
5. Edição de 12 de julho de 1925.
6. Edição de 26 de novembro de 1925.
7. Edição de 10 de maio de 1925
8. Edição de 2 de junho de 1925.
9. 25 de setembro de 1926.
10. Chateaubriand, Assis. *O pensamento de Assis Chateaubriand*. Volume 9, p. 189 e seguintes.
11. Edição de 8 de maio de 1927.
12. Edição de 27 de janeiro de 1927.
13. Em "A fundamentação estética da crítica de arte em Ângelo Guido – a crítica de arte sob o enfoque de uma história das idéias". Tese de doutorado da professora Úrsula Rosa da Silva.
14. LEITE, Ligia C. Moraes. *O modernismo no Rio Grande do Sul*: materiais para o seu estudo, p. 281.
15. JEAN de Rues (CAVALCANTI, João Manoel Azevedo). *Diário de Notícias*. Edição de 15 de março de 1925. Vida Social, "A Hora Elegante", p. 12.
16. SOIHET, Rachel. "Abaixo as mulheres! Como a imprensa ridicularizava a luta feminista." Artigo publicado pela revista *Nossa História*, editada pela Biblioteca Nacional. Ano 1, número 3, janeiro de 2004.
17. Edição de 5 de março de 1925.
18. Edição de 16 de janeiro de 1931.
19. Edição de 20 de janeiro de 1931.
20. Edição de 27 de janeiro de 1931.
21. MORAIS, Fernando. *Chatô, o rei do Brasil*, p. 203.
22. Edição do *Correio do Povo* de 23 de agosto de 1929.
23. 25 de agosto de 1929.
24. 27 de agosto de 1929.
25. GRIMBERG, Jessé Lobato. BVES, A Bolsa do Sul – Escorço Histórico. Artigo do livro *Gestão empresarial: A integração das competências*, org. por Alexandre de Souza Tavares e Carine Rodrigues Tavares. Porto Alegre, Bagaggem Eventos, 2004.)
26. Edição de 29 de julho de 1931.
27. Ver Suplemento especial I – A história dos Associados do Sul.
28. Edição de 17 de março de 1932.
29. MORAIS, Fernando. *Chatô, o rei do Brasil*, p. 296.

30. MORAIS, Fernando. *Chatô, o rei do Brasil*, p. 298.
31. Edição de 7 de janeiro de 1933.
32. CARNEIRO, Glauco. *Brasil, primeiro – História dos Diários Associados*, p. 169.
33. CARNEIRO, Glauco. *Brasil, primeiro – História dos Diários Associados*, p. 172.
34. Edição de 19 de março de 1933.
35. *Diário de Notícias*, edição de 8 de junho de 1978.
36. Edição de 2 de junho de 1935.
37. Edição de 8 de setembro de 1935.
38. Edição de 3 de outubro de 1935.
39. CARNEIRO, Glauco. *Brasil, primeiro – História dos Diários Associados*, p. 175.
40. Edição de 28 de abril de 1978, Suplemento especial.
41. Em 24 de julho de 1936.
42. Livro de atas n° 1, da Associação Rio-Grandense de Imprensa, p. 33 e seguintes.
43. Edição de 11 de novembro de 1937.
44. MORAIS, Fernando. *Chatô, o rei do Brasil*, p. 375.
45. Departamento de Imprensa e Propaganda.
46. Em 11 de maio de 1938.
47. Edição de 10 de fevereiro de 1939.
48. Em 20 de julho de 1939.
49. *Diário de Notícias*, edição de 18 de outubro de 1939.
50. Edição de 8 de julho de 1939.
51. Edição de 15 de novembro de 1939.
52. O primeiro Suplemento circula em 17 de dezembro de 1939.
53. Em 26 de outubro de 1939.
54. Edição de 19 de maio de 1940.
55. Anúncio na edição de 17 de outubro de 1940.
56. Em 28 de janeiro de 1942.
57. Em 22 de agosto de 1942.
58. CARNEIRO, Glauco. *Brasil, primeiro – História dos Diários Associados*, p. 187 e 188.
59. Ibidem, ibidem, p. 238.
60. Edição de 19 de setembro de 1943.
61. Edição do *Correio do Povo* de 26 de fevereiro de 1944.
62. Edição do *Diário de Notícias* de 27 de fevereiro de 1944
63. Edição do *Diário de Notícias* de 1° de março de 1944.
64. Decreto 20.777, de 19 de março de 1946, assinado por Eurico Gaspar Dutra.
65. Em 24 de agosto de 1947.
66. Edição de 21 de fevereiro de 1948.
67. FREITAS, Décio. *O maior crime da Terra*.
68. *O Estado de S. Paulo*, edição de 18 de outubro de 1998.
69. 26 de fevereiro de 1949.
70. Ver Suplemento especial I – A história dos Associados do Sul.

71. Edição de 2 de agosto de 1950.
72. *Zero Hora*, edição de 22 de junho de 1982.
73. *A Hora*, edição de 3 de setembro de 1955.
74. Assim denominados os trabalhadores da Companhia Carris Porto-Alegrense.
75. Edição de 16 de agosto de 1953.
76. Edição de 10 de janeiro de 1954.
77. Edição de 16 de maio de 1954.
78. *Diário de Notícias*, edição de 4 de junho de 1954.
79. *O pensamento de Assis Chateaubriand*. Artigo: "O penúltimo encontro". Volume 31, p. 569 e seguintes.
80. *O pensamento de Assis Chateaubriand*. Artigo: "Apuração de responsabilidades". Volume 31, p. 508 e seguintes.
81. *O pensamento de Assis Chateaubriand*. Artigo: "A poesia em Getúlio Vargas". Volume 31, p. 528 e seguintes.
82. *O pensamento de Assis Chateaubriand*. Artigo: "Intrepidez e honra cívicas". Volume 3, p. 544 e seguintes.
83. MORAIS, Fernando. *Chatô, o rei do Brasil.*
84. "Ao Povo do Rio Grande", *Correio do Povo*, edição de 28 de agosto de 1954, contracapa.
85. *Diário de Notícias*, edição de 6 de março de 1955.
86. TILL, Rodrigues. *Say Marques – O criador da Feira do Livro de Porto Alegre*. Porto Alegre: Evangraf, 2004.
87. *Diário de Notícias*, edição de 17 de novembro de 1955.
88. MORAIS, Fernando. *Chatô, o rei do Brasil.*
89. *Diário de Notícias*, domingo, 9 de setembro de 1962, primeira página.
90. *Correio do Povo*, terça-feira, 25 de setembro de 1962, p. 22.
91. *Diário de Notícias*, edição de 5 de abril de 1968.
92. Edição de 3 de outubro de 1969.
93. Artigo de página inteira, publicado na edição de 1° de janeiro de 1974 do *Diário de Notícias*.

Bibliografia

ACADEMIA Brasileira de Letras. *Curso de Jornalismo*. Rio de Janeiro: Tupy, 1958.

ALDO, Obino. *Notas de arte. Org. Cida Golin*. Porto Alegre: MARGS, 2002.

AMARAL, Luís. *Técnica de jornal e periódico*. Brasília: Tempo Brasileiro, 1978.

ANDRÉ, Alberto. *50 anos de imprensa*. Porto Alegre: Feplam, 1992.

ARAÚJO, Rubens Vidal. *Os Vargas*. Porto Alegre: Globo, 1985.

BARROS, Jefferson. *Golpe mata jornal*. Porto Alegre: Já Editores, 1999.

BRUNEL, Pierre. (Org.). *Dicionário de mitos literários*. Tradução: Carlos Sussekind. Rio de Janeiro: José Olympio, 1997.

CALDAS, Breno e José Antonio Pinheiro Machado. *Meio século de Correio do Povo – Glória e agonia de um grande jornal*. Porto Alegre: L&PM, 1987.

CARNEIRO, Glauco. *Brasil, primeiro – História dos Diários Associados*. Brasília: Fundação Assis Chateaubriand, 1999.

CASTRO, Ruy. *O anjo pornográfico: a vida de Nélson Rodrigues*. São Paulo: Companhia das Letras, 1992.

CHATEAUBRIAND, Assis. *O pensamento de Assis Chateaubriand*. Brasília: Fundação Assis Chateaubriand, 1992 a 2001. V. 1 a 33. (Artigos publicados entre 1924 e 1968).

COSTA, Elmar Bones da (org.). *História ilustrada de Porto Alegre*. Porto Alegre: Já Editores, 1997.

___. (org.). *História ilustrada do RS*. Porto Alegre: Já Editores, 1998.

DILLENBURG, Sérgio Roberto. *Quatro publicações marcantes no jornalismo rio-grandense*. Nova Petrópolis: Editora Amstad, [s.d]. O autor informa que é de 1996.

ERICKSEN, Nestor. *O sesquicentenário da imprensa rio-grandense*. Porto Alegre: Livraria Sulina Editora, 1977.

FAGUNDES, Ayrton Silva. *Bares – histórias ouvidas, criadas e contadas*. Brasília: GH Comunicação Gráfica, 1994.

FERREIRA FILHO, Arthur. *História Geral do Rio Grande do Sul 1503-1964*. Porto Alegre: Globo, 1965.

FERREIRA JÚNIOR, José. *Capas de jornal – A primeira imagem e o espaço gráfico-visual*. São Paulo: Senac, 2003

FONSECA. Joaquim da. *Caricatura – A imagem gráfica do humor*. Porto Alegre: Artes & Ofícios, 1999.

FORTES, Alexandre. "Sul em chamas". Artigo na revista *Nossa História,* editada pela Biblioteca Nacional. Ano 1, n° 10, agosto de 2004.

FRANCO, Sérgio da Costa. *Porto Alegre: guia histórico*. Porto Alegre: Editora da Universidade, UFRGS, 1998.

GALVANI, Walter. *Um século de poder: os bastidores da Caldas Júnior*. Porto Alegre: Mercado Aberto, 1994.

GONZAGA, Alcides. *Homens e coisas de jornal*. Porto Alegre: Livraria do Globo, 1944.

GOULART, Antônio. *O outro lado do poder*. Porto Alegre: Mercado Aberto, 1996.

GRANDI, Celito De. *Loureiro da Silva, o Charrua*. Porro Alegre: Literális. 2004.

GRIMBERG, Jessé Lobato. "BVES, A Bolsa do Sul – Esboço Histórico" (Artigo do livro *Gestão empresarial: a integração das competências*. Org. por Alexandre de Souza Tavares e Carine Rodrigues Tavares.) Porto Alegre: Bagaggem Eventos, 2004.

GUERREIRO, Homero. *Jornal do Comércio: 60 anos*. Porto Alegre: Cia. Jornalística J. C. Jarros, 1994.

HOFF, Victor. *Do Reno ao Guaíba: notas sobre o imigrante alemão Johann Adam Hoff – ascendência e descendência*. Porto Alegre: Grafosul, 1990.

HOHENBERG, John. *Manual de jornalismo*. Rio de Janeiro: Editora Fundo de Cultura, 1962

JOFFILY, Bernardo. *IstoÉ Brasil, 500 anos*. Atlas Histórico. São Paulo: 3 Editorial, 1998.

LEITE, Lígia C. Moraes. *Modernismo no Rio Grande do Sul: materiais para seus estudos*. São Paulo: IEB, 1972.

MARÇAL, João Batista (org.). *Marcos Faerman: Profissão repórter*. Porto Alegre: Corag, 1999.

MÁRQUEZ, Gabriel García. *Vivir para contarla*. Buenos Aires: Editorial Sudamericana, 2002.

MORAIS, Fernando. *Chatô, o rei do Brasil*.

PETERSON, Theodore, Jay W. Jensen e William L. Rivers. *Os meios de comunicação e a sociedade moderna*. Rio de Janeiro: Edições GRD, 1966.

PRESS. *Nomes que fizeram a imprensa gaúcha*. Colecionável da Revista Press. Volume 1. Porto Alegre: 2001

PRÉVIDI, José Luiz. *Tempos do róseo – Histórias de jornalistas*. Porto Alegre: Evangraf, 2003.

RABAÇA, Carlos Alberto e Gustavo Guimarães Barbosa. *Dicionário de comunicação*. São Paulo: Ática, 1987.

ROSSI, Rosemari Schwarz. *Associação Rio-Grandense de Imprensa; reivindicações, cultura e amparo à classe*. Porto Alegre: Corag, 1981.

RÜDIGER, Francisco. *Tendências do jornalismo*. Porto Alegre: Editora da UFRGS, 1993.

SÁ Jr., Renato Maciel de. *O melhor do anedotário da rua da Praia*. Porto Alegre: L&PM, 1992.

SCHIRMER, Lauro. *A Hora: uma revolução na imprensa*. Porto Alegre: L&PM, 2000.

SCHIRMER, Lauro. *RBS: da voz-do-poste à multimídia*. Porto Alegre: L&PM, 2002.

SILVA, Hélio. *1954: um tiro no coração*. Porto Alegre: L&PM, 2004.

STEFFENS, Marcelo Hornos. *O* Correio do Povo *e o* Diário de Notícias *e as estratégias de utilização das imagens de Getúlio Vargas (1950 e 1954)*. Tese de mestrado em História do Brasil pela PUCRS, janeiro de 1998.

TAVARES, Flávio. *O dia em que Getúlio matou Allende e outras novelas do poder*. Rio de Janeiro: Record, 2004.

THORSTENBERG, Valdíria. "A tessitura da modernidade literária: Diário de Notícias, de Porto Alegre, no ano de 1925." Tese de doutorado em letras pela PUCRS, em 2003.

TILL, Rodrigues. *Ernesto Corrêa – 1905-1978 – Um dos maiores jornalistas gaúchos*. Porto Alegre: Renascença, 2001.

TILL, Rodrigues. *Say Marques – O criador da Feira do Livro de Porto Alegre*. Porto Alegre: Evangraf, 2004.

TORRES, Andréa Sanhudo. *Imprensa: política e cidadania*. Porto Alegre: Edipucrs, 1999.

VARGAS, Getúlio. *Getúlio Vargas. Discursos (1903-1929)*. Porto Alegre: Assembléia Legislativa do Estado do Rio Grande do Sul, 1997. Série Perfis Parlamentares, n. 2.

WAINER, Samuel. *Minha razão de viver; memórias de um repórter*. Org. e editoração de Augusto Nunes. Rio de Janeiro: Record, 1988.

IMPRESSÃO:
GRÁFICA EDITORA
Pallotti
IMAGEM DE QUALIDADE
Santa Maria - RS - Fone/Fax: (55) 222.3050
wwww.pallotti.com.br
Com filmes fornecidos